Lucia Maddii Maria C

Forte! 3

Corso multimediale di lingua italiana per bambini

QUADRO EUROPEO DI RIFERIMENTO A2

EDILINGUA

www.edilingua.it

Lucia Maddii, laureata in Pedagogia, è stata per lungo tempo docente in classi plurilingue ed ha operato come insegnante facilitatrice in laboratori linguistici rivolti ad alunni stranieri frequentanti la scuola primaria italiana. Ha lavorato come docente distaccata presso l'Agenzia Nazionale per lo Sviluppo dell'Autonomia Scolastica (ex IRRE) della Toscana occupandosi di formazione dei docenti di ogni ordine e grado sui temi dell'educazione interculturale, dell'accoglienza degli alunni stranieri e della didattica dell'italiano L2/LS sia in Italia sia all'estero. Su questi temi è stata coordinatrice di progetti europei e collabora con Università, Associazioni e Amministrazioni Comunali per la progettazione di iniziative di sostegno al successo scolastico degli alunni con cittadinanza non italiana. Attualmente è dirigente scolastico. Ha pubblicato numerosi articoli e materiali didattici anche multimediali per l'insegnamento dell'italiano a bambini stranieri.

Maria Carla Borgogni, laureata in Lettere Moderne, ha conseguito la certificazione in Didattica dell'italiano come lingua straniera ed è stata docente in classi plurilingue, insegnante facilitatrice in percorsi e interventi linguistici rivolti ad alunni stranieri frequentanti la scuola primaria e secondaria italiana. Attualmente è docente di scuola secondaria di primo grado, promotrice e coordinatrice di interventi didattici e laboratori di italiano come L2/LS. Si occupa della formazione dei docenti di ogni ordine e grado sui temi dell'accoglienza degli alunni stranieri e della didattica dell'italiano L2/LS. Consulente e referente per Centri di Documentazione e Amministrazioni locali progetta e coordina percorsi didattici e interventi rivolti ad alunni con cittadinanza non italiana. Ha pubblicato articoli e materiali didattici per l'insegnamento dell'italiano a bambini e ragazzi stranieri.

Un grazie speciale alle nostre famiglie e in particolare ai nostri figli Caterina, Daniele, Francesco e Matteo che ci hanno sostenuto con pazienza e affetto, e alle piccole Bianca e Chiara che ci hanno allietato con i loro sorrisi.

Sede legale
Via Alberico II, 4 00193 Roma
Tel. +39 06 967 27 307
Fax +39 06 944 43 138
www.edilingua.it
info@edilingua.it

Deposito e Centro di distribuzione
via Moroianni, 65 12133 Atene
Tel. +30 210 57.33.900
Fax +30 210 57.58.903

Grazie all'adozione dei nostri libri, Edilingua adotta a distanza dei bambini che vivono in Asia, in Africa e in Sud America. Perché insieme possiamo fare molto! Ulteriori informazioni nella sezione "Chi siamo" del nostro sito.

II edizione: luglio 2012
ISBN: 978-960-693-072-0
Redazione: L. Piccolo, A. Bidetti, M. Dominici
Illustrazioni del libro: R. Piccini; animazioni video in 3D: M. Fantechi
Impaginazione e progetto grafico: *Edilingua*
Registrazione dialoghi e composizione musiche: *Egea* Edizioni Discografiche, Perugia
Arrangiamento musiche e registrazione canzoni: *Melamusic*, Bussolengo (VR)
Realizzazione tecnica del CD-ROM: *Autori multimediali*, Milano

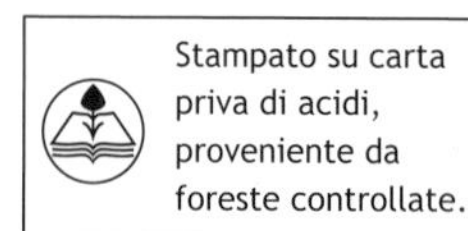

Stampato su carta priva di acidi, proveniente da foreste controllate.

Ringraziamo per la collaborazione e gli spunti offerti nella fase di elaborazione:
i docenti che hanno frequentato i corsi di formazione sulla didattica dell'italiano L2 organizzati dall'IRRE Toscana; i docenti albanesi del Progetto Illiria (progetto per la Promozione della Lingua Italiana in Albania).
Per il sostegno e l'incoraggiamento:
i docenti della Direzione Didattica di Figline Valdarno (FI), dell'Istituto Comprensivo "Petrarca- Magiotti" di Montevarchi (AR), dell'Istituto Comprensivo "Giovanni XXIII" di Terranuova Bracciolini (AR).
Per la traduzione delle icone:
Abdelillah Balboula per la lingua araba, Tone Marashi Mehilli per la lingua albanese e Zheng Danmei per la lingua cinese.

Ringraziamo sin d'ora i lettori e i colleghi che volessero farci pervenire eventuali suggerimenti, segnalazioni e commenti sull'opera (da inviare a redazione@edilingua.it)

Premessa

Forte! - Il Corso

Forte! è un corso originale e innovativo per bambini e ragazzi dai 7 agli 11 anni che si avvicinano allo studio della lingua italiana in Italia o all'estero; è adatto anche a bambini di 6 anni già alfabetizzati e in contatto con la lingua italiana.
Inoltre, per i bambini più piccoli sono stati pensati e realizzati due volumi propedeutici: Piccolo e forte! A e Piccolo e forte! B.

Piccolo e forte! A è indicato per bambini di età compresa fra i 4 e i 6 anni e prevede un primo contatto con l'italiano esclusivamente orale.
Piccolo e forte! B è indicato per bambini di età compresa fra i 5 e i 7 anni, che si avvicinano all'apprendimento della lingua italiana anche scritta.

In base all'età e alla competenza linguistica dei bambini, si può scegliere di utilizzare:
- Piccolo e forte! A e poi Piccolo e forte! B prima di passare a *Forte! 1*
  oppure
- Piccolo e forte! B prima di passare a *Forte! 1*.

Grazie alla flessibilità dei materiali, *Forte!* può essere utilizzato in diversi contesti d'insegnamento in base agli studenti, alla classe, alle lingue di origine e al loro livello di alfabetizzazione.

Dall'esperienza a *Forte!* - L'Esperienza

Forte! nasce dall'esperienza diretta delle autrici come insegnanti di italiano lingua straniera e come formatrici di docenti della scuola primaria e secondaria di primo grado in Italia e all'estero; esperienze durante le quali hanno maturato l'idea di realizzare il materiale del corso, sottoponendolo poi a continua verifica e sperimentazione in classe.

Le scelte - I Punti di Forza

Il corso si fonda su un'attenta analisi dei bisogni linguistico-comunicativi dei bambini e dei ragazzi che si avvicinano alla lingua italiana e si sviluppa avendo come punto fermo la loro centralità nel processo di apprendimento-insegnamento della lingua.
Perciò le proposte didattiche, nel rispetto dei diversi stili cognitivi e delle naturali tappe di apprendimento di una lingua, si rifanno essenzialmente ad un approccio umanistico-affettivo e a metodologie ludiche.
In questa prospettiva, si è considerata l'importanza della motivazione dei ragazzi all'apprendimento della lingua attraverso un approccio coinvolgente, in cui ascolti e dialoghi presentino un modello corretto, ma quanto più vicino alla lingua d'uso.
Il corso ha come filo conduttore le divertenti avventure illustrate a fumetti di cinque ragazzi di differente nazionalità e dei loro amici.
La ricchezza dei materiali e la ripresa successiva dei contenuti, presentati secondo un andamento a spirale, rendono *Forte!* un corso flessibile, adattabile a diversi stili di apprendimento e a diversi contesti d'insegnamento.

Premessa

Forte! 3 (livello A2)

Il *Libro dello studente ed esercizi* si articola in:

- 1 Unità introduttiva e 7 Unità, che hanno come filo conduttore una simpatica storiella. Le unità sono suddivise a loro volta in tre sotto-unità (●●●), ciascuna introdotta da un'attività motivante che richiama la storia che fa da sfondo. Seguono attività di comprensione e produzione, canzoni e filastrocche. Le attività sono accompagnate da uno o più simboli per rendere più chiaro il compito da svolgere. Al termine di ogni unità si trova la sezione Vocabolario per la ripresa delle parole impiegate;
- 3 Intervalli!!!, ricchi di attività e giochi stimolanti e divertenti per il riepilogo delle conoscenze;
- Esercitiamoci!, una sezione utile per il consolidamento e il reimpiego delle strutture;
- L'angolo della grammatica, con box grammaticali riassuntivi, formule ed esempi d'uso;
- L'angolo del taglia e incolla, in appendice, con le immagini e le frasi da ritagliare e utilizzare durante le attività proposte;
- CD audio, allegato, contenente i brani di ascolto e le canzoni;
- CD-ROM, allegato, contenente animazioni in 3D (basate su uno o due dialoghi di ogni unità) e il karaoke di tutte le canzoni. Le attività del libro che rimandano al CD-ROM sono contrassegnate dal simbolo (CD-ROM). L'insegnante potrà così presentare l'input sotto varie forme e in maniera sempre stimolante: di alcuni dialoghi avremo la semplice lettura, di altri lettura+ascolto e di altri ancora lettura+ascolto+video; inoltre potrà far ascoltare prima le canzoni, con il CD audio, e poi farle cantare ai bambini che in questo modo impareranno giocando.

La *Guida per l'insegnante* fornisce spiegazioni dettagliate, indicazioni e consigli per lo svolgimento delle attività e dei giochi. Per ogni unità presenta:

- uno schema dei contenuti, utile anche in fase di programmazione delle attività didattiche;
- attività preparatorie, che servono ad avvicinare i bambini ai contenuti dell'unità;
- attività per il consolidamento e per lo sviluppo delle abilità di base.

È ricca di schede e materiale di lavoro fotocopiabili, carte, immagini per realizzare memory, tombole e flashcard.

Nel nostro sito www.edilingua.it sono disponibili vari materiali didattici: motivanti *giochi interattivi* per i bambini e le *flashcard* della Guida.

Elenco dei simboli

con traduzione in inglese, spagnolo, francese, tedesco, portoghese, albanese, cinese e arabo.

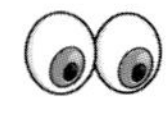

Leggi/Osserva; Read/Observe; Lee/Observa; Lis/Observe; Lies/Betrachte; Lê/Observa; Lexo/Vërej; 读/观察; لاحِظ - اِقرأ

Disegna/Colora; Draw/Colour; Dibuja/Colorea; Dessine/Colore; Zeichne/Male aus; Desenha/Colora; Vizato/Ngjyros; 涂颜色/画画; لوِّن - ارْسُمْ

Scrivi/Completa; Write/Complete; Escribe/Completa; Ecris/Complète; Schreib/Ergänze; Escreve/Completa; Shkruaj; 写; أكمِلْ - اكْتُبْ

Ascolta; Listen; Escucha; Ecoute; Höre zu; Ouve; Dëgjo; (注意)听; استَمِعْ

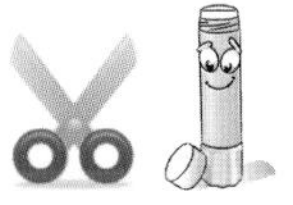

Ritaglia e incolla; Cut out and paste; Corta y pega; Découpe et colle; Schneide aus und klebe auf; Recorta e cola; Prej e ngjit; 先剪后粘贴; قصّ وألصِقْ

Unisci; Join together; Une; Assemble; Verbinde; Une; Bashkoj; 连接; صِلْ

Mima; Mime; Imita; Mime; Ahme nach; Mima; Kopjoni; (不出声)以动作表达; قلِّدْ

Parliamo/Ripeti; Let's speak/Repeat; Hablamos/Repite; Parlons/Répète; Wir sprechen/Wiederhole; Fala/Repete; Flasim/Përserit; 一起说/重复(一遍); أعِدْ - لِنتحَدَّثْ

Cerca; Find; Busca; Cherche; Finde; Procura; Kërko; 找一找; ابْحَثْ

Cantiamo; Let's sing; Cantamos; Chantons; Lasst uns singen; Canta; Këndojmë; لِنغنِّ
一起唱歌;

Metti in ordine; Put in the correct order; Ordena; Mets en ordre; Ordne an; Coloca em ordem; Vendosni në radhë; 把东西整理好; رتِّبْ

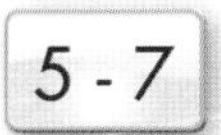

Fai le attività 5-7 in *Esercitiamoci!*; Complete activities 5-7 in *Esercitiamoci!*; Haz las actividades 5-7 en *Esercitiamoci!*; Fais les activités 5-7 dans *Esercitiamoci!*; Mach die Übungen 5-7 in *Esercitiamoci!*; Faz as actividades 5-7 em *Esercitiamoci!*; Kryej aktivitetet 5-7 ne *Esercitiamoci!*; 在*Esercitiamoci!*中, 请做第5-7项; قمْ بالأنشِطة 5 . 7 ب *Esercitiamoci !*

Di nuovo insieme!

1 Leggi.

SÌ, È QUELLA CON I JEANS E LA MAGLIETTA ROSA.

RAGAZZI, AVETE FATTO I COMPITI DELLE VACANZE?
SÌ, DEVO FINIRE SOLO MATEMATICA.

NON PARLATE DI COMPITI! ANDIAMO A GIOCARE.
SÌ, ANDIAMO!

DI NUOVO INSIEME! FORTE!!!

2 Rispondi alle domande.

1. Dove è andato in vacanza Simone?

....

2. Dove è andata in vacanza Paula?

....

3. Chi è Linda?

....

3 Racconta. Sei andato/a in vacanza? Dove? Con chi? Ti è piaciuto?

....

....

....

....

....

....

4 Leggi e osserva.

1. Paula è una mia amica.

2. Linda è la mia migliore amica.

3. Simone è un mio amico.

4. Hamid è il mio migliore amico.

5 Racconta. Chi è il tuo migliore amico o la tua migliore amica? Come si chiama? Dove abita? Quanti anni ha?

6 Trova l'intruso.

1	montagna	mare	lago	città	~~mano~~
2	maglietta	jeans	camicia	capelli	pantaloni
3	gamba	cappello	braccio	viso	pancia
4	matematica	italiano	cattedra	scienze	geografia
5	prato	mucca	maiale	cavallo	cane
6	Firenze	Napoli	Venezia	Roma	Colosseo

7 Ascolta e canta: "Forte!".

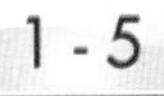

Che cosa fai di solito?

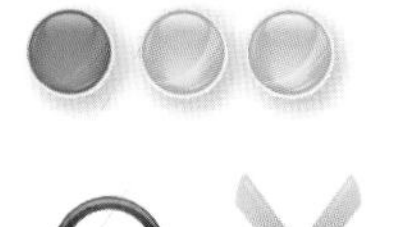

1 Ascolta la canzone "La mia giornata", ritaglia e incolla al posto giusto le immagini di pagina 125.

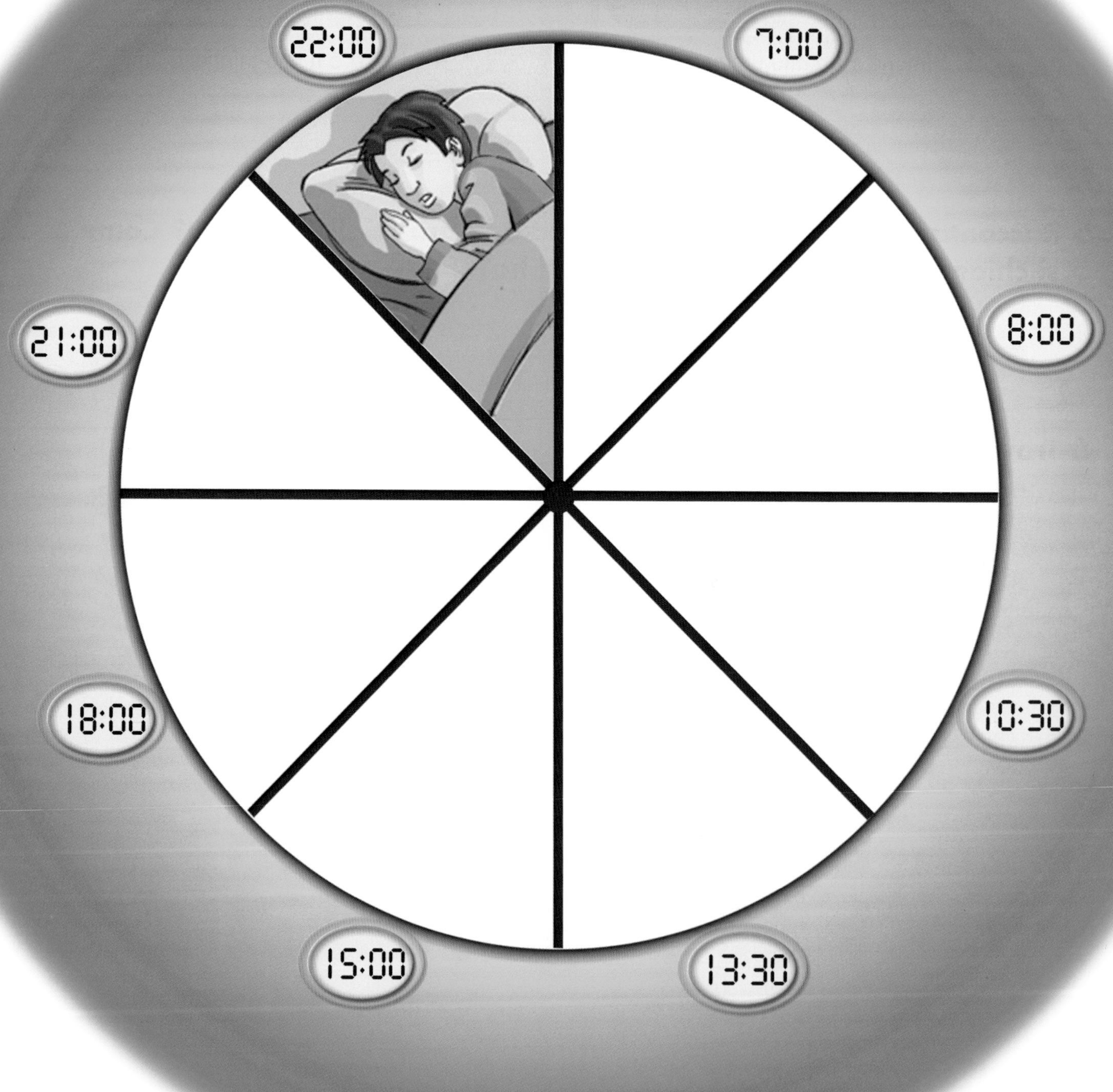

22:00

7:00

21:00

8:00

18:00

10:30

15:00

13:30

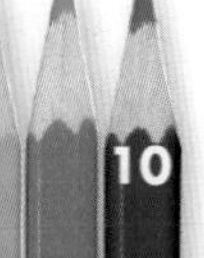

2 Leggi.

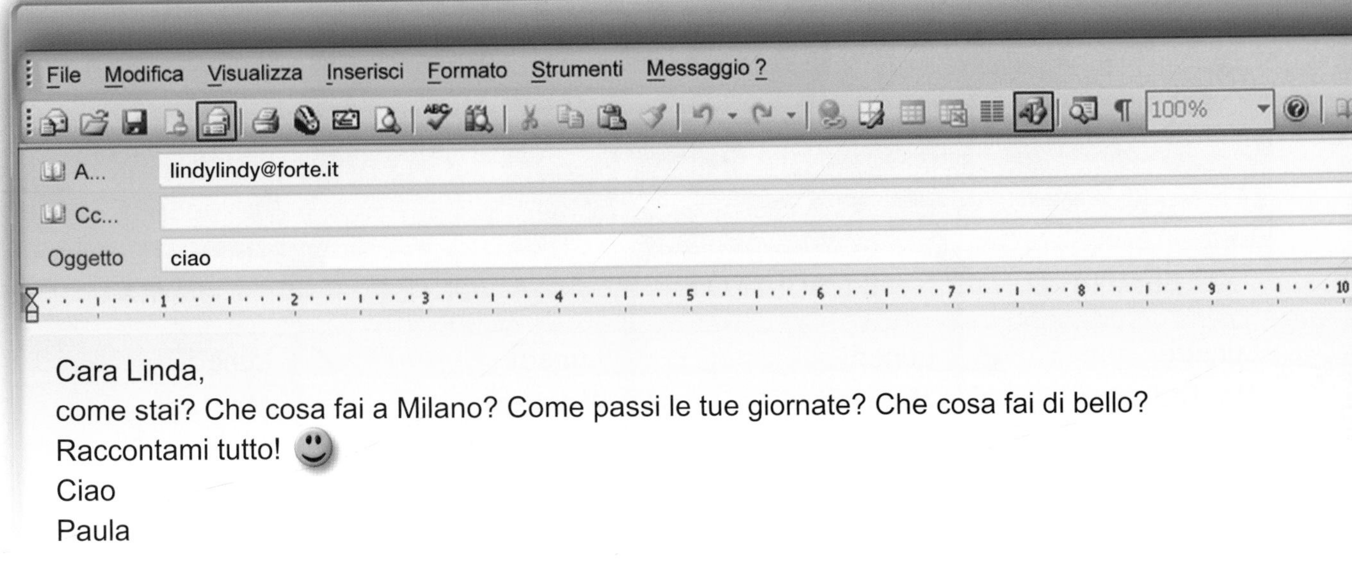

File Modifica Visualizza Inserisci Formato Strumenti Messaggio ?

A... lindylindy@forte.it

Cc...

Oggetto ciao

Cara Linda,
come stai? Che cosa fai a Milano? Come passi le tue giornate? Che cosa fai di bello?
Raccontami tutto!
Ciao
Paula

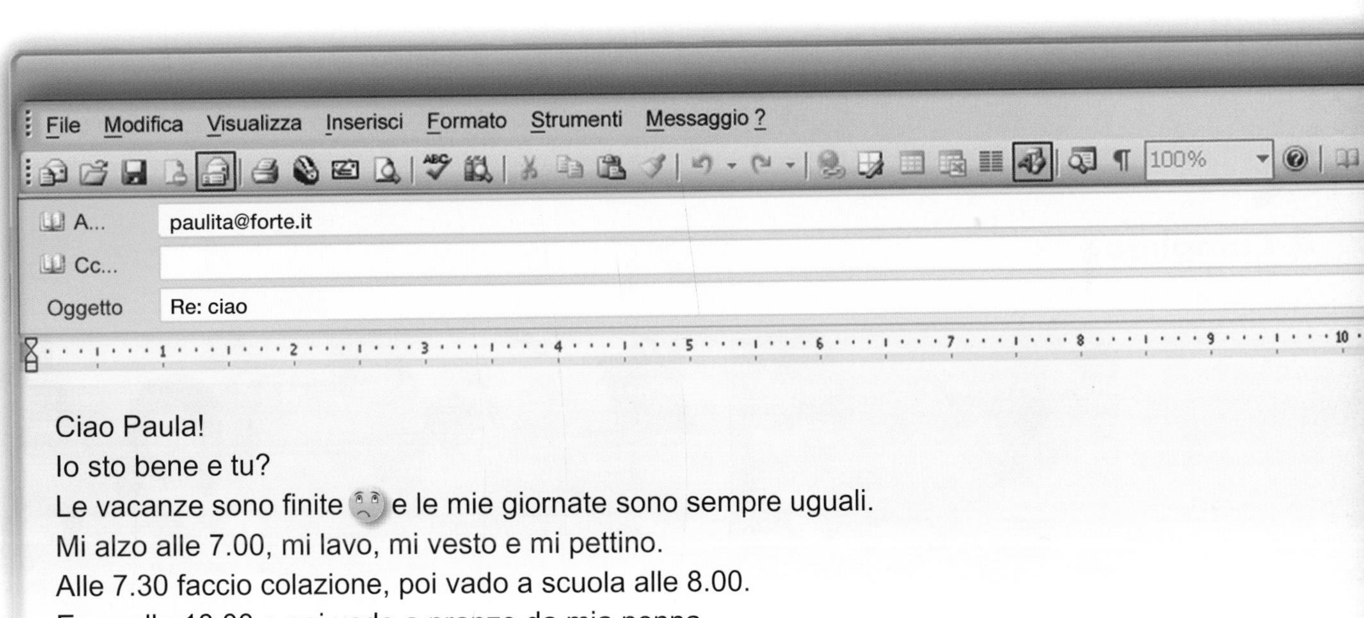

File Modifica Visualizza Inserisci Formato Strumenti Messaggio ?

A... paulita@forte.it

Cc...

Oggetto Re: ciao

Ciao Paula!
Io sto bene e tu?
Le vacanze sono finite e le mie giornate sono sempre uguali.
Mi alzo alle 7.00, mi lavo, mi vesto e mi pettino.
Alle 7.30 faccio colazione, poi vado a scuola alle 8.00.
Esco alle 13.00 e poi vado a pranzo da mia nonna.
Dopo pranzo non guardo mai la TV, vado al computer e poi faccio sempre i compiti.
Alle 16.30 vado al corso di hip hop.
Di solito, prima di cena, ascolto musica e leggo qualche rivista.
Dopo cena a volte vado in camera mia a leggere un libro.
E tu? Raccontami che cosa fai. E i tuoi amici? Che cosa fanno?
Scrivetemi!
Baci
Linda

Che cosa fai di solito?

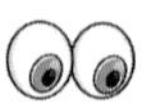

3 Osserva.

4 Completa.

IO	MI ALZO	MI LAVO	.... VESTO	MI ....
TU	TI ALZI	TI	.... VESTI	.... PETTINI
LUI/LEI	SI ALZA	.... LAVA	SI	.... PETTINA

1 - 2

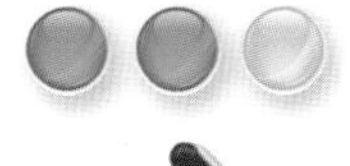

CD-ROM

1 Leggi e rispondi alle domande.

Che cosa fai di solito?

IO VADO AL CORSO DI CHITARRA. VOLETE SENTIRE COME SONO BRAVO?

BRAVO EDMOND, MA ORA BASTA, TI PREGO!

1. Come passa le giornate Linda?

....

2. Che cosa piace fare a Fang Fang?

....

3. Che cosa piace fare a Simone?

....

4. Che cosa preferisce fare Hamid?

....

5. Che cosa fa Edmond?

....

2 Ascolta e collega.

1. Anne

2. Kevin

3. Paola

4. Giulio

a

guardare la televisione

b

pattinare

c

ballare

d

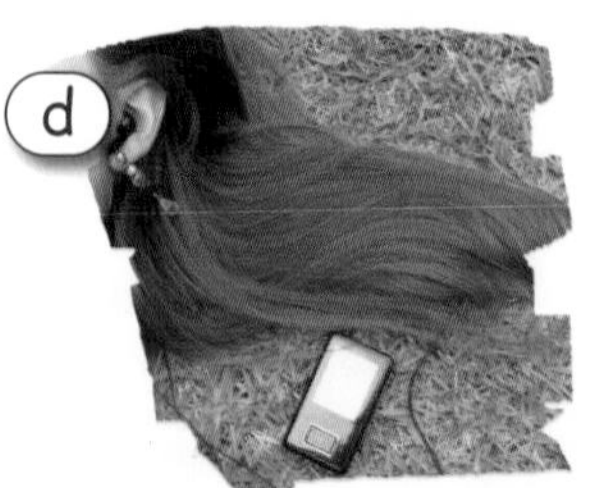

ascoltare (la) musica

e

giocare a pallone

f

dipingere

1. Anne

2. Kevin

3. Paola

4. Giulio

g
giocare con i videogiochi

h
navigare in Internet

i
leggere un libro

l
andare in bici

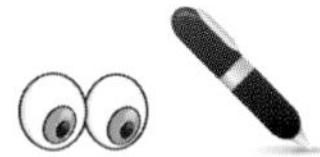

3 Osserva e rispondi.

- Guardi la TV?

- Sì, la guardo.

- No, non la guardo

- Leggi le riviste?

- Sì, le leggo.

- No, non le leggo.

- Usi il computer?

- Sì, lo uso.

- No, non lo uso.

- Leggi i libri?

- Sì, li leggo.

- No, non li leggo.

E tu?

Guardi la tv? ....

Leggi le riviste? ....

Usi il computer? ....

Leggi i libri? ....

Ascolti la musica? ....

3 - 5

Che cosa fai di solito?

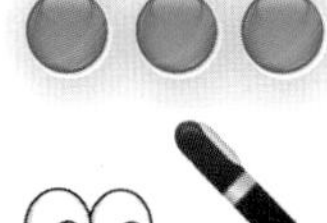

1 Leggi e completa con: TV, videogiochi, libro, chitarra, pietre, Internet, musica.

File Modifica Visualizza Inserisci Formato Strumenti Messaggio

A... lindylindy@forte.it

Cc...

Oggetto ancora io

Ciao Linda!
Sono tornata a scuola! Mi alzo alle 7.30 e faccio colazione, poi vado a scuola. Esco alle 12.30 e pranzo a casa, con nonna Adriana, Noemi e Luis. I miei genitori lavorano tutto il giorno.
Dopo pranzo di solito vado al computer e navigo in ....(1) o rispondo alle e-mail (come ora! ☺). A volte dipingo e poi faccio i compiti.
Alle 17.00 vado a correre: sono nella squadra di atletica leggera.
Dopo cena di solito guardo la ....(2), ma a volte vado in camera mia. Ti piacciono le conchiglie? Io ne ho tantissime. Faccio la collezione. Ecco una foto!
Paula

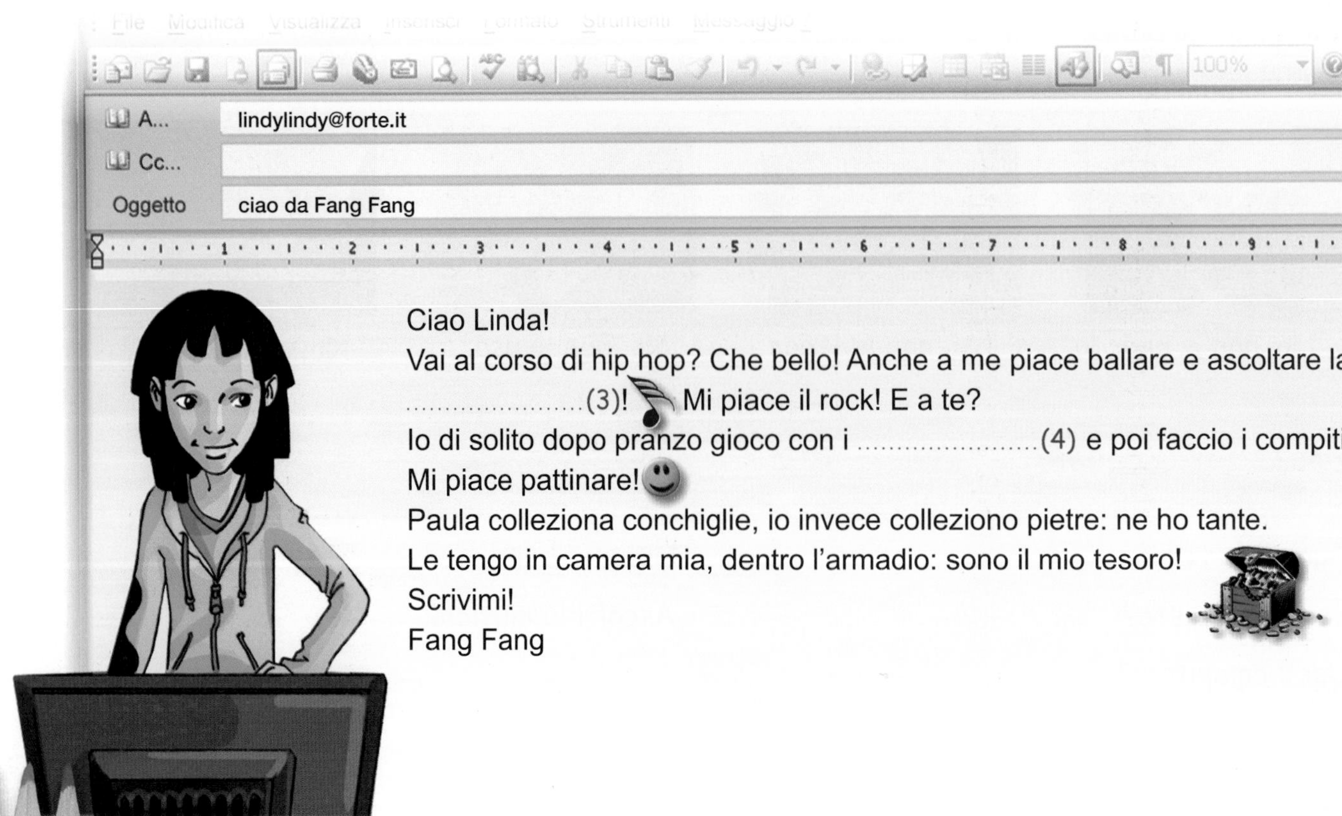

A... lindylindy@forte.it

Cc...

Oggetto ciao da Fang Fang

Ciao Linda!
Vai al corso di hip hop? Che bello! Anche a me piace ballare e ascoltare la ....(3)! Mi piace il rock! E a te?
Io di solito dopo pranzo gioco con i ....(4) e poi faccio i compiti.
Mi piace pattinare! ☺
Paula colleziona conchiglie, io invece colleziono pietre: ne ho tante.
Le tengo in camera mia, dentro l'armadio: sono il mio tesoro!
Scrivimi!
Fang Fang

A... lindylindy@forte.it

Cc...

Oggetto ci siamo anche noi!

Ciao Linda,
Sono Simone. Ti scrivo insieme a Edmond e Hamid.
Ti piacciono i videogiochi? A me e ad Hamid piacciono tantissimo.
Io ci gioco tanto… sempre… TROPPO! dice il mio papà. Spesso il pomeriggio vado fuori in bici con Edmond o gioco a palla con Hamid. La sera dopo cena vado in camera mia con le mie figurine. Faccio la collezione!
Hamid invece colleziona ....(5), Edmond le carte.
La sera dopo cena Hamid legge sempre un ....(6), Edmond ascolta musica oppure suona la ....(7)… poveri genitori!
A Edmond non piace molto la TV, io, invece, la guardo molto…
TROPPO! dicono il mio papà e la mia mamma
Scrivici
Simone, Edmond e Hamid

2 Scrivi tu a Linda: come passi le tue giornate?

3 Ora tocca a te: chiedi a un compagno o a una compagna.

Guardi la TV?	....
Leggi le riviste?	....
Usi il computer?	....
Leggi i libri?	....
Ascolti la musica?	....
Collezioni le figurine?	....
Suoni la chitarra?	....
Giochi con i videogiochi?	....

4 Leggi e completa.

Paula ha poche conchiglie. Ne ha poche.

Io ho tante pietre.  Ne ho tante.

Hamid ha tante figurine.  1. .... ha tante.

Simone ha poche matite.   2. .... ha ....

Tu hai tanti videogiochi.  3. .... hai ....

Fang Fang ha tanti libri.  4. ....

6 - 7

VOCABOLARIO

Ritaglia e incolla le figure a pagina 127.

PATTINARE	ANDARE IN BICI	GIOCARE A PALLONE
COLLEZIONARE CONCHIGLIE	COLLEZIONARE PIETRE	COLLEZIONARE FIGURINE
NAVIGARE IN INTERNET	GUARDARE LA TV	GIOCARE CON I VIDEOGIOCHI
BALLARE	SUONARE LA CHITARRA	ASCOLTARE MUSICA

Bello scherzo!

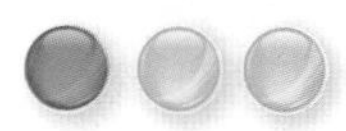

1 Leggi e colora.

2 Collega. Simone è...

a

b

e

1. stanco ◯
2. spaventato ◯
3. arrabbiato ◯
4. felice ◯
5. triste ◯

d

c

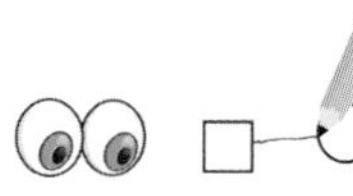

3 Leggi e collega.

IO SONO FELICE PERCHÉ GIOCO A CALCIO.

IO SONO TRISTE PERCHÉ FANG FANG NON C'È.

IO SONO ARRABBIATO PERCHÉ LISA HA PRESO IL MIO ASTUCCIO.

1. Edmond è felice
2. Paula è triste
3. Simone è arrabbiato

a. perché Lisa ha preso il suo astuccio.
b. perché gioca a calcio.
c. perché Fang Fang non c'è.

4 E tu? Sei felice? Sei triste? Perché? Disegna e completa.

Oggi sono ....

perché ....

....

1 - 2

1 Ascolta e completa con: febbre, freddo, male.

2 Ascolta di nuovo e colora le immagini giuste.

1. Simone ha...

mal di denti

mal di testa

mal di pancia

2. Simone ha...

caldo

freddo

sonno

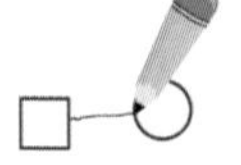

3 Collega.

1. Ho caldo.
2. Ho freddo.
3. Ho sonno.
4. Sto bene.
5. Sono stanco.

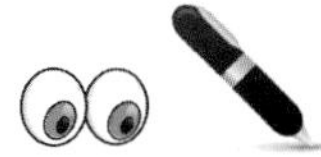

4 Leggi con attenzione e scrivi i verbi nella giusta colonna.

Caro diario,
sono a letto con la febbre.
Oggi i miei amici mi hanno **fatto** un bello scherzo. Sono **andato** ai giardini con Lisa e papà.
Edmond ha **messo** un mantello e una maschera, poi è **uscito** fuori da un cespuglio e mi ha **fatto** paura. Io mi sono **arrabbiato**, ma poi abbiamo **fatto** la pace. Il papà mi ha **chiamato** per andare a casa. A casa non ho **fatto** merenda: che mal di pancia! La mamma ha **chiamato** il dottore.
Eccolo! Ha **suonato** il campanello!
Ciao diario! È **arrivato** il dottore!

ESSERE	AVERE
(io) Sono andato	i miei amici mi hanno fatto

5 Canzomimando. Ascolta, canta e mima: "Oggi come stai?".

- Oggi come stai?
- Sono stanco, ho freddo e ho sonno.

(coro) *Sei stanco, hai freddo e hai sonno?*
Dai ripeti insieme a noi: mi sento molto bene!
E felice tu sei già.

- Oggi come stai?
- Mi fa male la testa e mi fa male la pancia!

(coro) *Ti fa male la testa e ti fa male la pancia?*
Dai ripeti insieme a noi: mi sento molto bene!
E felice tu sei già.

- Oggi come stai?
- Sono un po' spaventato, sono triste e arrabbiato!

(coro) *Sei un po' spaventato? Sei triste e arrabbiato?*
Dai ripeti insieme a noi: mi sento molto bene!
E felice tu sei già.

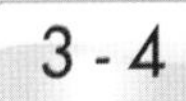

6

1 Che cosa vuole fare da grande Simone? E Lisa? Osserva, ascolta e metti ✓.

il dottore

il pompiere

la maestra

il cuoco

il cantante

la dottoressa

il muratore

il contadino

l'operaio

2 Ascolta di nuovo e completa.

BENE, GUARDIAMO LA GOLA...

SENTIAMO LA PANCIA...

ECCO, QUESTE SONO LE MEDICINE DA PRENDERE...

DA GRANDE VOGLIO FARE LA ....!

E TU SIMONE, COSA VUOI FARE DA ....?

IO? IL ....!

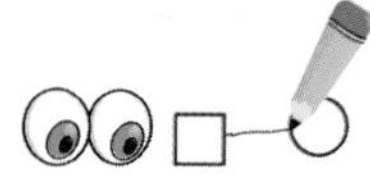

3 Leggi e collega con l'immagine giusta.

1. Da grande voglio fare la poliziotta.

2. Da grande voglio fare il pescatore.

3. Da grande voglio fare la parrucchiera.

4. Da grande voglio fare il ballerino.

5. Da grande voglio fare l'insegnante.

4 Tu che cosa vuoi fare da grande? Scrivi.

....

....

5 Chiedi a quattro compagni/e: "Tu che cosa vuoi fare da grande?".

Nome	Lavoro

5 - 6

VOCABOLARIO

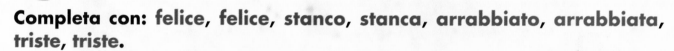

Completa con: felice, felice, stanco, stanca, arrabbiato, arrabbiata, triste, triste.

1 Oggi sono ....

2 Oggi sono ....

3 Oggi sono ....

4 Oggi sono ....

5 Oggi sono ....

6 Oggi sono ....

7 Oggi sono ....

8 Oggi sono ....

Intervallo!!! 1

1 Leggi le frasi e scrivi il numero sopra l'immagine giusta.

1. Pranzo all'una e trenta.
2. Mi alzo alle sette.
3. Mi lavo alle sette e quindici.
4. Faccio i compiti alle tre.
5. Vado a scuola alle otto e venti.
6. Vado a letto alle dieci.

2 Che cosa fanno Daniela e Marco nel tempo libero? Osserva e scrivi.

Daniela ....
....
....
....
....

Marco ....
....
....
....
....

3 Scrivi che cosa ti piace. Poi colora.

Il mio programma preferito in TV: ....

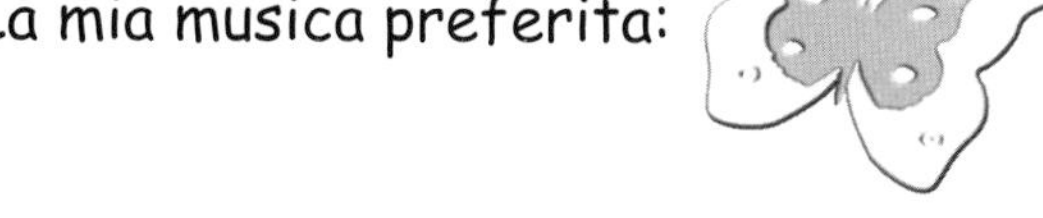

La mia musica preferita: ....

Il mio cantante/gruppo preferito: ....

Il mio videogioco preferito: ....

4 Metti in ordine e scrivi.

1. ....

fa ginocchio mi il male

2. ....

3. ....

4. ....

5. ....

5 Scrivi: è felice, è triste, è stanco, è arrabbiato, è spaventata.

1. ....

2. ....

3. ....

4. ....

5. ....

6 Ascolta e canta: "Da grande voglio fare...".

Ehi tu, che cosa vuoi fare
da grande?
Da grande voglio fare,
voglio fare...

il dottore, l'insegnante,
il cuoco, il muratore,
il poliziotto, la ballerina

Ehi tu, che cosa vuoi fare
da grande?
Da grande voglio fare,
voglio fare...

la cantante, il pescatore,
la parrucchiera,
il pompiere, l'operaio,
il contadino

Ehi tu, che cosa vuoi fare
da grande?
Da grande voglio fare,
voglio fare...

Ehi tu, che cosa vuoi fare
da grande?
Da grande voglio fare...

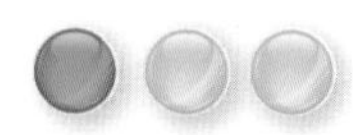

1 Ascolta e completa con: pronto, alle quattro, ci vediamo, a domani, ti passo.

BUONGIORNO SIGNORA, SONO EDMOND; C'È SIMONE?
..........................?
CIAO EDMOND, ... SIMONE.

CIAO SIMONE, COME STAI?
CIAO EDMOND! STO MEGLIO, GRAZIE, LA FEBBRE È PASSATA.

.... DOMANI?
SÌ, A CHE ORA? DOVE?

CI VEDIAMO .... DAVANTI A CASA TUA.
VA BENE.

HAI RICEVUTO IL BIGLIETTO?
QUALE BIGLIETTO?

NE PARLIAMO DOMANI; CIAO!
CIAO EDMOND, ...

2 Osserva e scrivi al posto giusto.

1. ● Pronto?
   ● Ciao Simone, sono Hamid.
2. ▲ Pronto?
   ▲ Buongiorno signora, sono Fang Fang, c'è Paula?
3. ◆ Buongiorno, sono Paula, c'è Hamid?
   ◆ Ciao Paula, ti passo Hamid.
4. ■ Ci vediamo domani; ciao!
   ■ Ciao Hamid, a domani.

3 Osserva: che ore sono?

Sono le dieci e dieci.

Sono le nove e quarantacinque.
Sono le dieci meno un quarto.

Sono le quattro e quindici.
Sono le quattro e un quarto.

È mezzogiorno.

È mezzanotte.

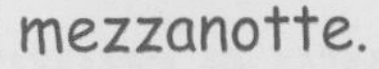

4 Leggi e completa.

CI VEDIAMO DOMANI?
SÌ, A CHE ORA? DOVE?
CI VEDIAMO ALLE QUATTRO DAVANTI A CASA TUA.
VA BENE.

lunedì • dieci e quaranta • dopo • a scuola • a casa mia • domenica • domani • ai giardini • otto e dieci • venti e trenta • undici e venti • davanti al cancello

Quando ci vediamo?	A che ora ci vediamo?	Dove ci vediamo?
Ci vediamo domani	alle quattro	davanti a casa tua
Ci vediamo	alle	
Ci vediamo	alle	
	alle	
	alle	

5 Qual è il tuo numero di telefono? Osserva e poi chiedi a tre compagni.

QUAL È IL TUO NUMERO DI TELEFONO?
354 980023.

Nome	Numero di telefono

6 Che cosa c'è scritto nel biglietto di Edmond? Vai a pagina 129 dove troverai il codice segreto.

^< ≤%∩<¬>÷ ∩÷>¬Ш<
¬~~% ^<Ш■×% %
∩<%^<

....

7 Ascolta e canta: "L'appuntamento".

1 - 2

unità
3

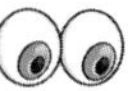

CD-ROM

1 Leggi.

AVETE RICEVUTO TUTTI QUESTO BIGLIETTO?
GUARDA: QUESTO È IL MIO.

ANCHE A ME È ARRIVATO STAMATTINA.
CHE MISTERO!

AVETE SENTITO PAULA? FORSE NE HA UNO ANCHE LEI.
ANDIAMO DA LEI, ABITA IN VIA MILANO NUMERO CINQUE.

IO CONOSCO LA STRADA; ANDIAMO.
È LONTANO?

NO, È VICINO; IN FONDO A VIALE DEI MILLE C'È IL SEMAFORO...
E POI?

AL SEMAFORO GIRIAMO A DESTRA IN PIAZZA ITALIA. ANDIAMO DRITTO FINO A VIA MILANO.
BENE. ANDIAMO.

2 Segna il percorso per arrivare a casa di Paula.

3 Osserva.

a destra

a sinistra

dritto

vicino

lontano

in fondo

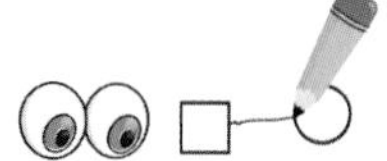

4 Osserva e unisci.

1. Vicino a casa mia c'è un semaforo.
2. Simone è davanti al Colosseo.
3. A sinistra della casa c'è una strada.
4. Nella piazza c'è un semaforo.
5. Lontano dalle case c'è un fiume.
6. Sul tetto c'è un gatto.

5 Aiuta Mago Trasformino! Completa la tabella.

	IL	LA	LO	L'	I	LE	GLI
DI	DEL	DELLA	DELLO	DELL'	DEI	DELLE	DEGLI
A		ALLA		ALL'		ALLE	
DA	DAL		DALLO		DAI		DAGLI
IN	NEL	NELLA		NELL'			
SU			SULLO			SULLE	

6 Che cosa c'è scritto nei biglietti di Hamid e Simone? Usa il codice segreto di pagina 129 (vedi pagina 36).

∩¬≤¬Ш+< ¬~ ≥¬◇

∩%< ⊙<¬◇∩<Ш<

....

....

≤<^<Ш÷ ¬~ ⊙◇¬Ш∩%

¬~≥%◇÷.

....

....

3 - 5

1 Ascolta e completa.

Ci vediamo
ai giardini P

OK,
al
A DOPO FF

2 Ascolta di nuovo e leggi.

3 Scrivi un messaggio per fissare un appuntamento.

Ci vediamo alle
cinque meno un
quarto ai giardini
P

4 Aiuta Mago Trasformino! Completa la tabella.

	TU	VOI
aspettare	aspetta!	aspettate!
scendere	scendi!	scendete!
salire	sali!	salite!
disegnare		
correre		
sentire		
osservare		
leggere		
aiutare		

5 Cosa c'è scritto nel biglietto di Paula? Usa il codice segreto di pagina 129 (vedi pagine 36 e 40).

Ш÷Ш ¬Шn¬+% ≤<¬!
<÷ ¬◇◇<≤%◇÷
↕◇%◖+÷.

....

6 Leggi e osserva con attenzione!

	TU	VOI
andare	vai!	andate!
finire	finisci!	finite!

6

VOCABOLARIO

Ritaglia le figure a pagina 129 e incollale secondo le indicazioni.

Nella piazza c'è un semaforo. A destra della scuola c'è un albero. A sinistra della scuola c'è una casa. Vicino alla piazza c'è una casa rossa. La casa di Simone è lontana dalla scuola.

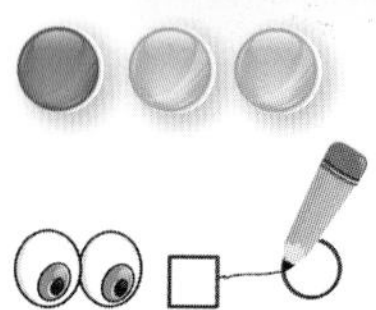

1 **Osserva, leggi e unisci.**

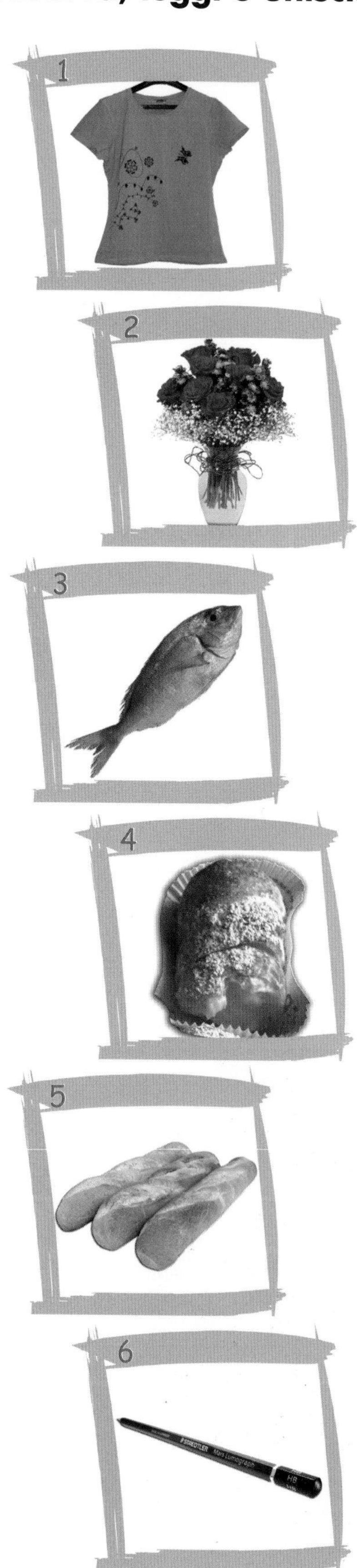

a. Pescheria

b. Negozio di abbigliamento

c. Fioraio

d. Cartoleria

e. Panetteria

f. Pasticceria

2 Ascolta e completa con: cartoleria, euro, costa, pescheria, vorrei.

VENITE! GIRIAMO A SINISTRA DOPO LA ....
POI GIRIAMO A DESTRA, PRIMA DELLA CARTOLERIA.

ECCO LA ....
ASPETTATE, DEVO COMPRARE LA GOMMA.

CIAO.
BUONASERA, ... UNA GOMMA.

ECCO QUA.
QUANTO ....?

DUE .... E CINQUANTA.

ARRIVEDERCI.
E ORA ANDIAMO DA FANG FANG!

Il mistero continua

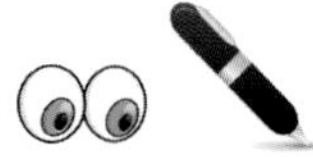

3 Osserva, scrivi in lettere e in cifre.

Cinquanta centesimi (di euro) = 0,50 €

Un euro = 1 €

Due euro = 2 €

....

....

....

....

I NUMERI 30-100

30 trenta	50 cinquanta	70 settanta	90 novanta
40 quaranta	60 sessanta	80 ottanta	100 cento

4 Completa i dialoghi.

5 Che cosa c'è scritto nel biglietto di Fang Fang? Vai a pagina 131 dove troverai il codice segreto.

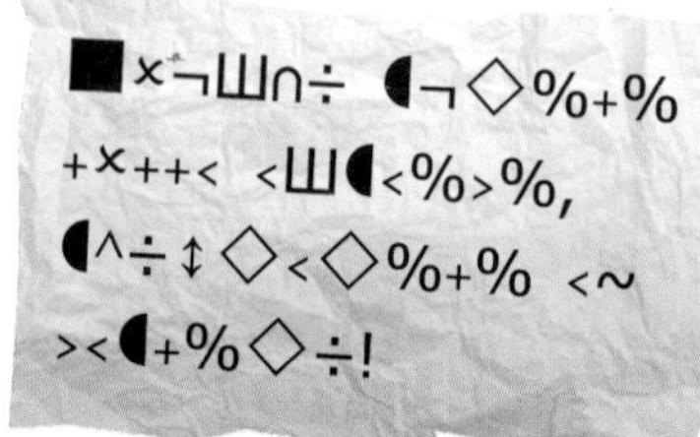

....

....

....

1 - 2

1 Leggi e colora.

Il mistero continua

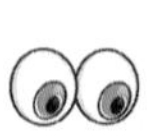 

2 Queste sono le indicazioni per fare lo scherzo della maestra. Cancella le istruzioni errate.

a. Prepara un codice segreto per leggere il messaggio.

b. ~~Scrivi un libro~~.

c. Scrivi i biglietti con il codice segreto.

d. Dai un libro a ogni bambino.

e. Dai un biglietto a ogni bambino.

f. Mettiti un grande cappello e un mantello.

g. Aspetta i bambini.

h. Mangia la pizza.

i. Esci fuori con i palloncini.

l. Esci fuori con il cappello sul viso.

m. Compra a tutti un bel gelato!

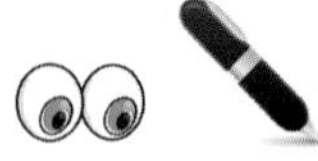

3 Leggi, osserva e completa.

Simone, scrivi sul quaderno!

Simone, non scrivere sul libro!

Scrivete sul quaderno!

Non scrivete sul libro!

Simone, ... il libro!

Simone e Hamid, ... a palla in camera!

4 Riordina e scrivi le istruzioni per creare un biglietto di auguri.

Incolla i palloncini sul foglio. | Scrivi gli auguri. | Ritaglia i palloncini. | Disegna e colora 3 o 4 palloncini. | Piega un foglio.

1. Piega un foglio.

2. ....

3. ....

4. ....

5. ....

1 Ascolta e completa con: sarà, arriverà, sarà, aiuteremo.

2 Leggi e completa l'e-mail con le parole giuste.

File Modifica Visualizza Inserisci Formato Strumenti Messaggio ?

A... lindylindy@forte.it

Cc...

Oggetto Novità in classe

Cara Linda,
c'è una novità nella mia classe. Domani ....(1) un nuovo compagno: Thomas.
Thomas viene dal ....(2).
Io sono molto curiosa. Non so com'è: alto? Basso? Biondo? Con i ....(3) neri?
...Bello?
Domani conoscerò ....(4).
Domani sera ti scriverò ancora e ti dirò com'è.
Io e i miei ....(5) abbiamo promesso: aiuteremo Thomas a conoscere l'................................(6).
Thomas sarà un nostro nuovo ....(7)!
Che bello! A me piace avere tanti ....(8)!
Ciao Linda, a domani sera!
Paula

3 Leggi e osserva.

Ieri / Prima

Ho mangiato la torta.

Oggi / Ora

Mangio la torta.

Domani / Dopo

Mangerò la torta.

4 Metti nella colonna giusta.

Io sono andato • Noi aiuteremo • Voi avete sentito • Io vado • Tu leggi • Io ho visto • Lui arriverà • Io sarò • Voi saltate • Io scriverò • Lui sarà • Voi mangiate • Loro hanno letto • Io ho colorato • Lui gioca

Ieri / Prima	Oggi / Ora	Domani / Dopo

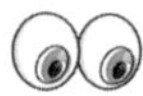

5 Leggi e osserva.

	Saltare	Leggere	Sentire
Io	salterò	leggerò	sentirò
Tu	salterai	leggerai	sentirai
Lui/Lei	salterà	leggerà	sentirà
Noi	salteremo	leggeremo	sentiremo
Voi	salterete	leggerete	sentirete
Loro	salteranno	leggeranno	sentiranno

6 Aiuta Mago Trasformino!

Io leggo. — Io leggerò.

1. Tu giochi. ....
2. Noi saltiamo. ....
3. Voi scrivete. ....
4. Lui corre. ....

VOCABOLARIO

Che cosa puoi comprare? Ritaglia e incolla al posto giusto le figure alle pagine 131 e 133.

In cartoleria

Nel negozio di abbigliamento

Dal fioraio

In pasticceria

In panetteria

In pescheria

Intervallo!!! 2

1 Osserva i disegni, ritaglia e incolla al posto giusto le frasi a pagina 133.

a

b

c

d

2 Leggi il messaggio e aiuta Linda a trovare i suoi amici.

Esci da scuola, vai dritto fino al semaforo di Piazza Dante, gira a destra, vai dritto in Via Bianchi. Dopo il bar gira a sinistra in Via Verdi. Dopo la cartoleria gira a destra e poi ancora a destra in Via Cesare. Ti aspettiamo al numero due!

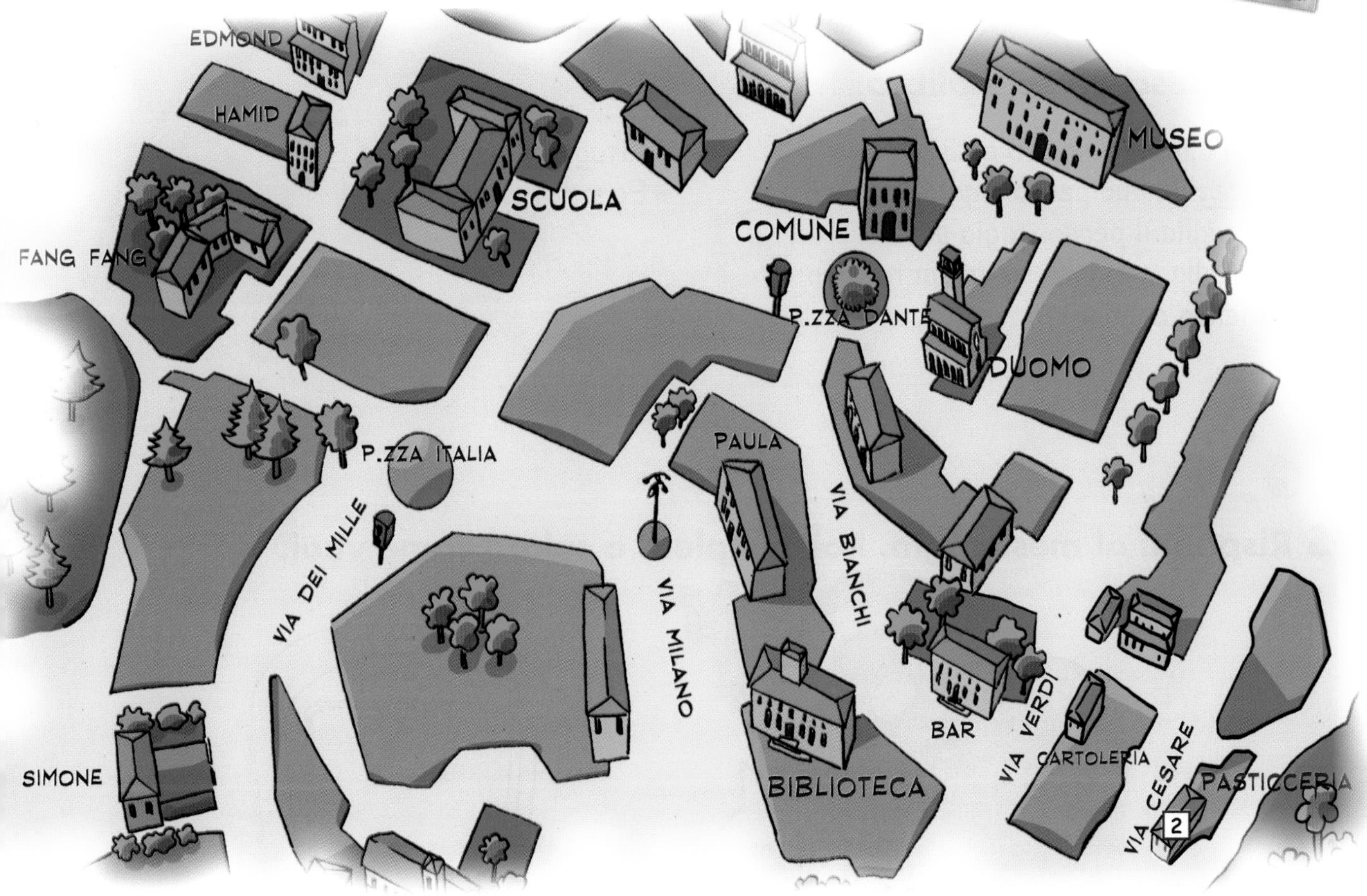

EDMOND
HAMID
SCUOLA
COMUNE
MUSEO
FANG FANG
P.ZZA DANTE
DUOMO
PAULA
P.ZZA ITALIA
VIA DEI MILLE
VIA MILANO
VIA BIANCHI
BAR
VIA VERDI
CARTOLERIA
VIA CESARE
PASTICCERIA
SIMONE
BIBLIOTECA
2

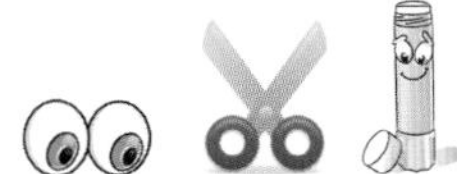

3 Che ore sono? Leggi, ritaglia e incolla al posto giusto le figure a pagina 135.

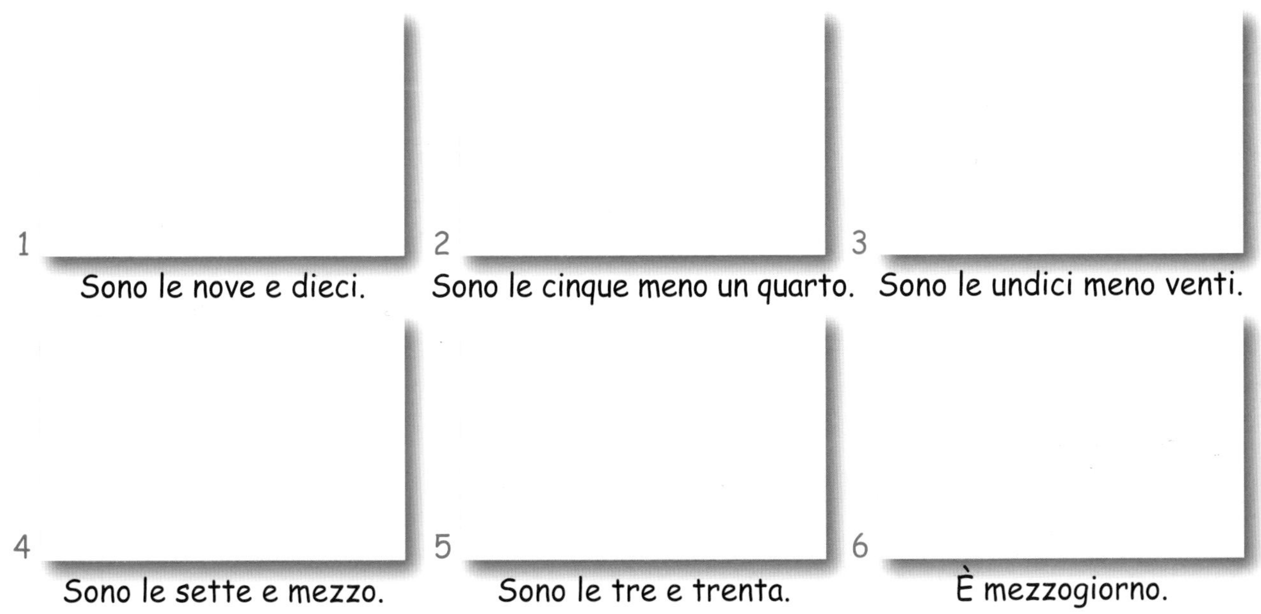

1 Sono le nove e dieci.

2 Sono le cinque meno un quarto.

3 Sono le undici meno venti.

4 Sono le sette e mezzo.

5 Sono le tre e trenta.

6 È mezzogiorno.

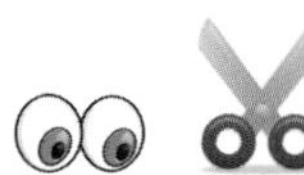

4 Costruisci un segnalibro.

- Vai alle pagine 135 e 137.
- Scegli il tuo personaggio preferito.
- Ritaglia il personaggio scelto.
- Incolla la figura su un cartoncino bianco o colorato.
- Ritaglia il cartoncino.
- Ecco il tuo segnalibro!

5 Rispondi al messaggio. Poi completa e colora come vuoi.

6 Ritaglia a pagina 137 e incolla le monete e le banconote accanto alla cifra, come nell'esempio.

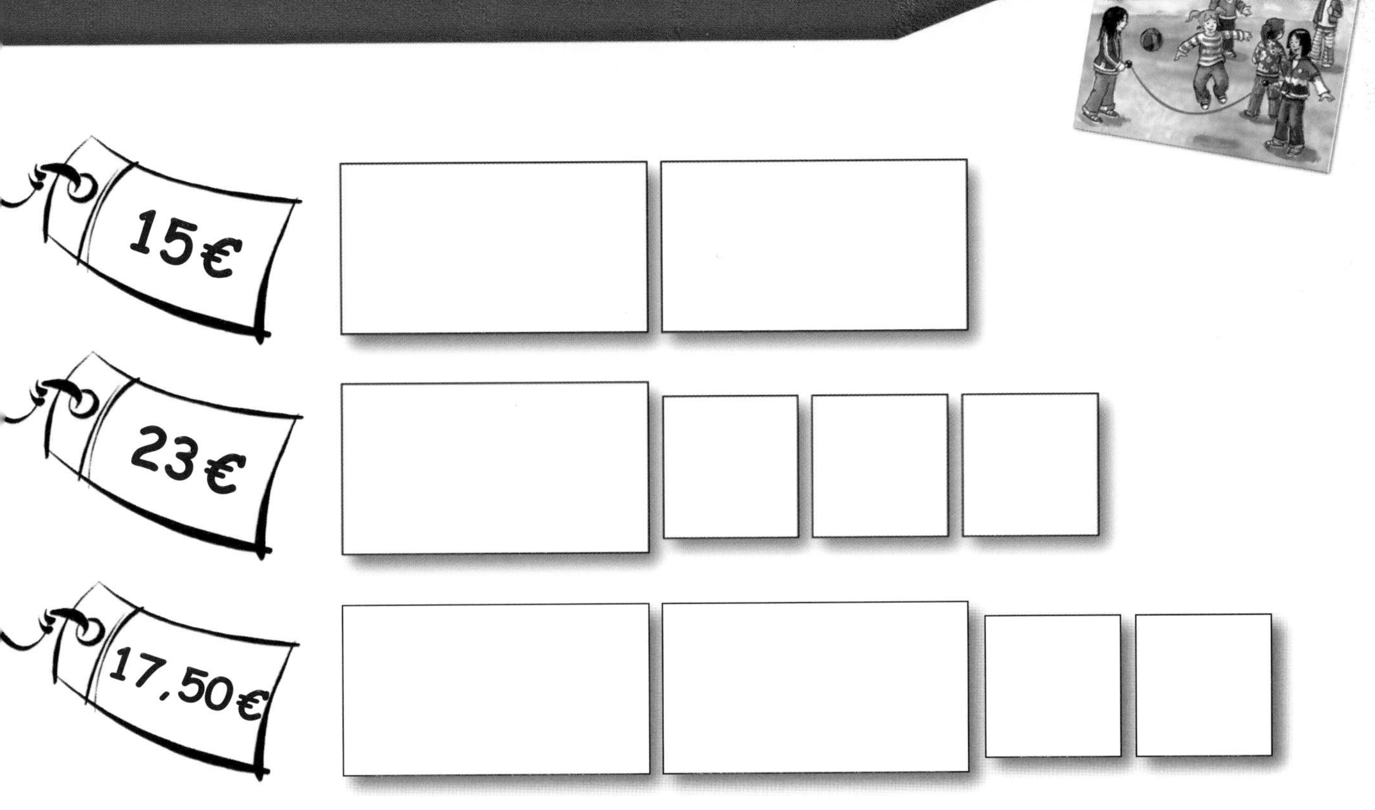

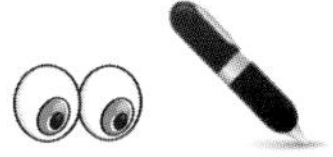

7 Completa i fumetti.

a. • Ecco le matite...
   • Grazie. Quanto costano?

b. • Ciao!
   • Buongiorno. Vorrei una scatola di matite.

c. • Grazie e ciao!
   • Arrivederci!

d. • Due euro e cinquanta.
   • Uno... due euro... e cinquanta centesimi.

8 Usa il codice segreto di pagina 137 per scrivere il tuo nome e quello del tuo compagno o della tua compagna.

....

La mia città

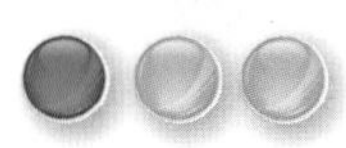

1 Ritaglia e incolla le immagini a pagina 139.

ALTO ADIGE/SÜDTIROL
Bolzano
TRENTINO
Trento
FRIULI VENEZIA GIULIA
Trieste
VALLE D'AOSTA
Aosta
LOMBARDIA
Milano
VENETO
Venezia
PIEMONTE
Torino
LIGURIA
Genova
EMILIA-ROMAGNA
Bologna
S. MARINO
TOSCANA
Firenze
MARCHE
Ancona
UMBRIA
Perugia
ABRUZZO
L'Aquila
LAZIO
Roma
CITTÀ DEL VATICANO
MOLISE
Campobasso
CAMPANIA
Napoli
PUGLIA
Bari
BASILICATA
Potenza
CALABRIA
Catanzaro
SICILIA
Palermo
SARDEGNA
Cagliari
MAR ADRIATICO
MAR TIRRENO

2 Ascolta e colora.

CIAO THOMAS, BENVENUTO! QUESTO È IL TUO POSTO.

CIAO, IO SONO SIMONE.
E IO HAMID.

VA BENE, RAGAZZI. AVETE PREPARATO LA PRESENTAZIONE DELLA NOSTRA CITTÀ?

SÌÌÌÌÌ!
VA BENE. SIMONE, VUOI INIZIARE TU?

QUESTA È LA NOSTRA CITTÀ...

CONOSCI ALTRE CITTÀ ITALIANE, THOMAS?
SÌ, HO GIÀ VISITATO ROMA, MILANO, NAPOLI, VENEZIA E FIRENZE.

La mia città

ALLORA, RAGAZZI, OGNUNO DI VOI PREPARI UNA BREVE PRESENTAZIONE DI ALTRE CITTÀ ITALIANE.
QUALI?

QUELLE CHE VI PIACCIONO DI PIÙ O CHE AVETE VISITATO.
VA BENE, MAESTRA!

3 Ascolta di nuovo e completa con: mura, chiesa, monumento, palestra, giardini, castello, scuola, piazza.

1

C'è la ....(1), ci sono le vecchie ....(2), c'è il ....(3). Nella nostra città abbiamo il ....(4) a Garibaldi e a Dante Alighieri. La nostra ....(5) Verdi è molto bella. Nella nostra città ci sono tanti ....(6) dove possiamo giocare e una bella ....(7) dove fare sport. Infine c'è la nostra bella ....(8).

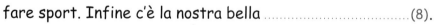

2

3

4

5

6

7

8

1 - 2

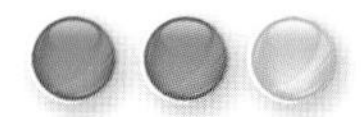

1 Ritaglia le figure a pagina 141. Leggi e incolla le figure al posto giusto.

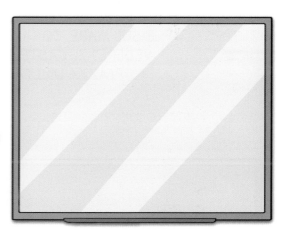

TORINO SI TROVA IN PIEMONTE. È UNA BELLA CITTÀ. TANTO TEMPO FA, A TORINO C'ERA IL RE. PUOI VEDERE IL PALAZZO REALE, LA REGGIA DI VENARIA.

IL SIMBOLO DI TORINO È LA MOLE ANTONELLIANA.

LA COSA CHE MI È PIACIUTA DI PIÙ È IL MUSEO EGIZIO.

VERAMENTE... LA COSA CHE MI È PIACIUTA DI PIÙ SONO I GIANDUIOTTI FATTI CON IL CIOCCOLATO GIANDUIA.

QUEST'ESTATE SONO ANDATA A SANREMO. SANREMO SI TROVA IN LIGURIA. È UNA BELLA CITTÀ SUL MARE. È FAMOSA IN TUTTA ITALIA PER I FIORI...

...E PER IL FESTIVAL DELLA CANZONE ITALIANA.

LA MIA CITTÀ PREFERITA È TRIESTE. PER ME È BELLISSIMA. È IN FRIULI VENEZIA GIULIA ED È SUL MARE. COSA C'È DI BELLO DA VEDERE? IL CASTELLO MIRAMARE, PIAZZA UNITÀ D'ITALIA...

THOMAS, TI PIACCIONO I CASTELLI? A ME TANTISSIMO! IL MIO PREFERITO È IL CASTELLO DI FÉNIS IN VALLE D'AOSTA.

2 Leggi.

- Torino è molto bella.
- La cosa che mi è piaciuta di più è il Museo Egizio.
- La mia città preferita è Trieste. Per me è bellissima.
- Ti piacciono i castelli? A me tantissimo! Il mio preferito è il Castello di Fénis.

3 Riordina le frasi.

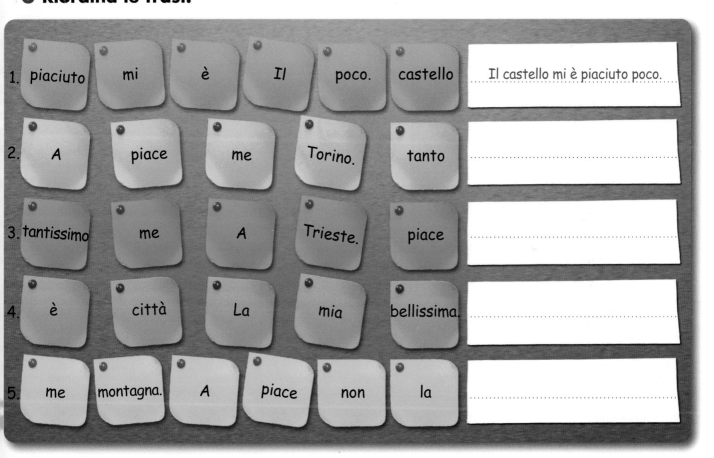

1.	piaciuto	mi	è	Il	poco.	castello	Il castello mi è piaciuto poco.
2.	A	piace	me	Torino.	tanto		
3.	tantissimo	me	A	Trieste.	piace		
4.	è	città	La	mia	bellissima.		
5.	me	montagna.	A	piace	non	la	

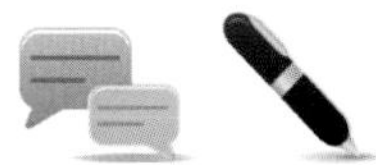

4 Chiedi a due compagni: "Qual è la tua città preferita? Che cosa ti piace di più?".

Nome	Città preferita	Cosa piace

3 - 4

La mia città

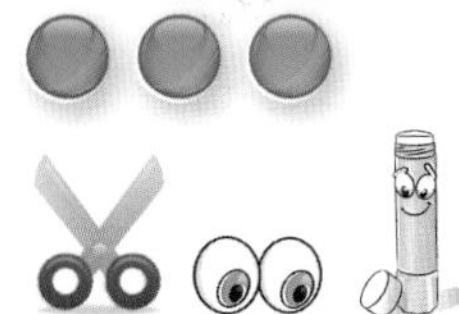

1 Ritaglia le presentazioni di Fang Fang, Simone, Edmond e Hamid a pagina 143. Leggi e incolla al posto giusto.

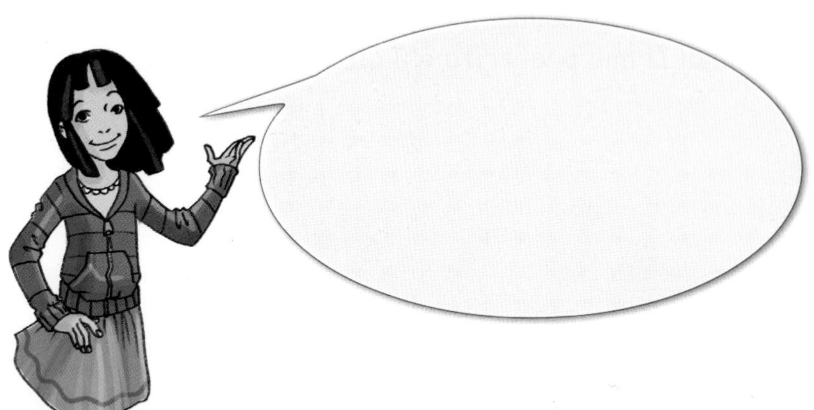

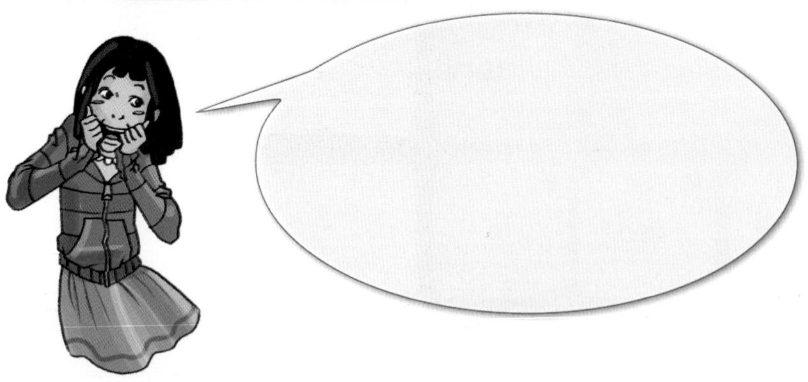

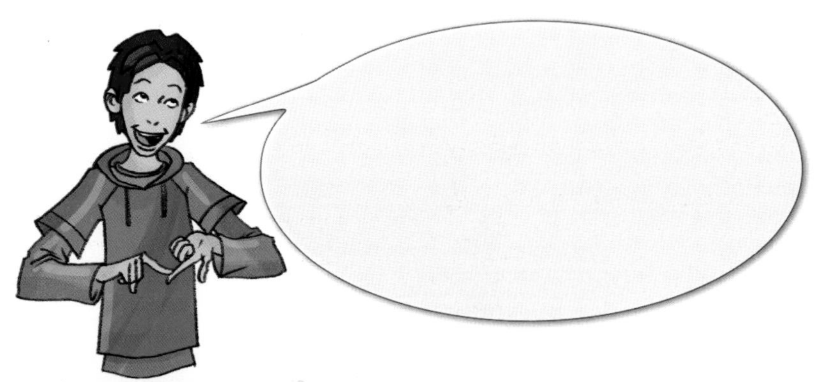

Le cipolle

I Trulli

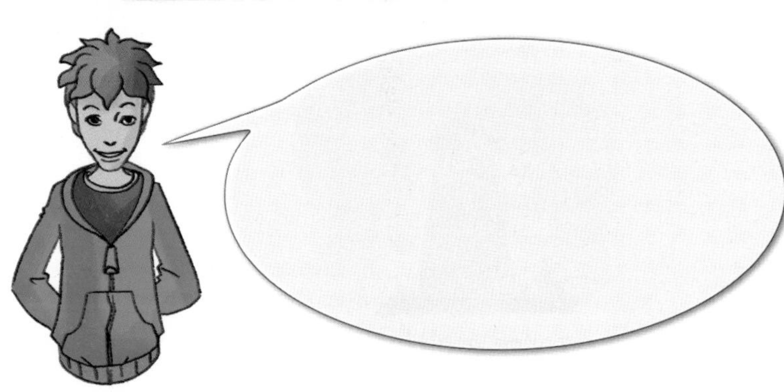

Alberobello

I Sassi

GRAZIE, RAGAZZI!
ADESSO RACCONTACI
TU: COM'È LA TUA
CITTÀ?

La mia città

2 Descrivi la tua città.

....

....

....

....

3 Osserva le parole in rosso.

La torre è alta.

La torre Blu è più alta della torre Rossa.

La torre Rossa è meno alta della torre Blu.

La torre Rossa è alta come la torre Gialla.

La torre è altissima.

4 Leggi e completa la tabella.

- La torre è alta.
- La torre Rossa è più alta della torre Blu.
- La torre Blu è meno alta della torre Rossa.
- La torre Blu è alta come la torre Gialla.
- La torre è altissima.

- Il castello è antico.
- Il castello è antichissimo.
- Il castello è più antico delle mura.
- Le mura sono meno antiche del castello.
- Il castello è antico come la torre.

- La palestra è bella.
- La palestra Rosa è bella come la palestra Garden.
- La palestra è bellissima.
- La palestra Rosa è più bella della palestra Garden.
- La palestra Garden è meno bella della palestra Rosa.

- Il giardino è grandissimo.
- Il giardino Est è più grande del giardino Nord.
- Il giardino Nord è meno grande del giardino Est.
- Il giardino è grande.
- Il giardino Est è grande come il giardino Ovest.

è alta	è più alta	è meno alta	è alta come	è altissima
è antico				
	è più bella			
				è grandissimo

5 - 6

VOCABOLARIO

1 Ascolta la filastrocca "La mia città".

Là e qua, qua e là,
mi piace tanto la mia città.
Ci sono i giardini per giocare,
le case, i palazzi e la cattedrale.
Ci sono le piazze, i negozi, le chiese.
È una città piena di sorprese:
le vecchie mura, i monumenti e il castello;
poi c'è la scuola, il posto più bello,
dove ogni giorno vedo i miei amici;
e la tua città com'è? Me lo dici?

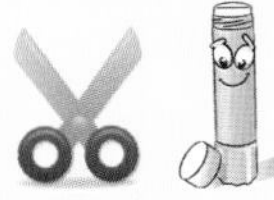

2 Ritaglia e incolla al posto giusto le figure alle pagine 143 e 145.

la chiesa

le mura

il castello

il monumento

la piazza

la palestra

La nostra campionessa

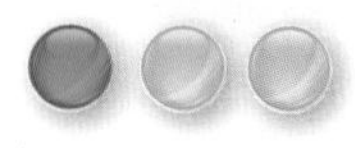

1 Leggi e metti ✓.

IL GIORNALINO DELLA SCUOLA   Lunedì 12 aprile

LA NOSTRA CAMPIONESSA

Paula Sanchez vince la corsa di primavera

Grande vittoria di Paula Sanchez negli 800 m. La corsa si è svolta ieri mattina, domenica 11 aprile, a Torino. A questa gara hanno partecipato le otto atlete più brave della nostra scuola, ma solo Paula è riuscita a portare a casa la medaglia d'oro.

Questa la classifica: prima Paula Sanchez, seconda Laura Rossi, terza Rita Demo. Nelle gare maschili segnaliamo il sesto posto di Matteo Lotti nei 200 m. e il quarto posto di Roby Ferro nei 400 m.

1. Paula ha vinto gli 800 m. ☐
2. La corsa si è svolta lunedì mattina. ☐
3. La corsa si è svolta a Torino. ☐
4. Hanno partecipato le otto atlete più brave della scuola. ☐
5. Solo Paula ha vinto la medaglia d'oro. ☐
6. I ragazzi sono arrivati dopo il terzo posto. ☐

2 Osserva.

PRIMA PAULA SANCHEZ,
SECONDA LAURA ROSSI,
TERZA RITA DEMO!

3 Unisci.

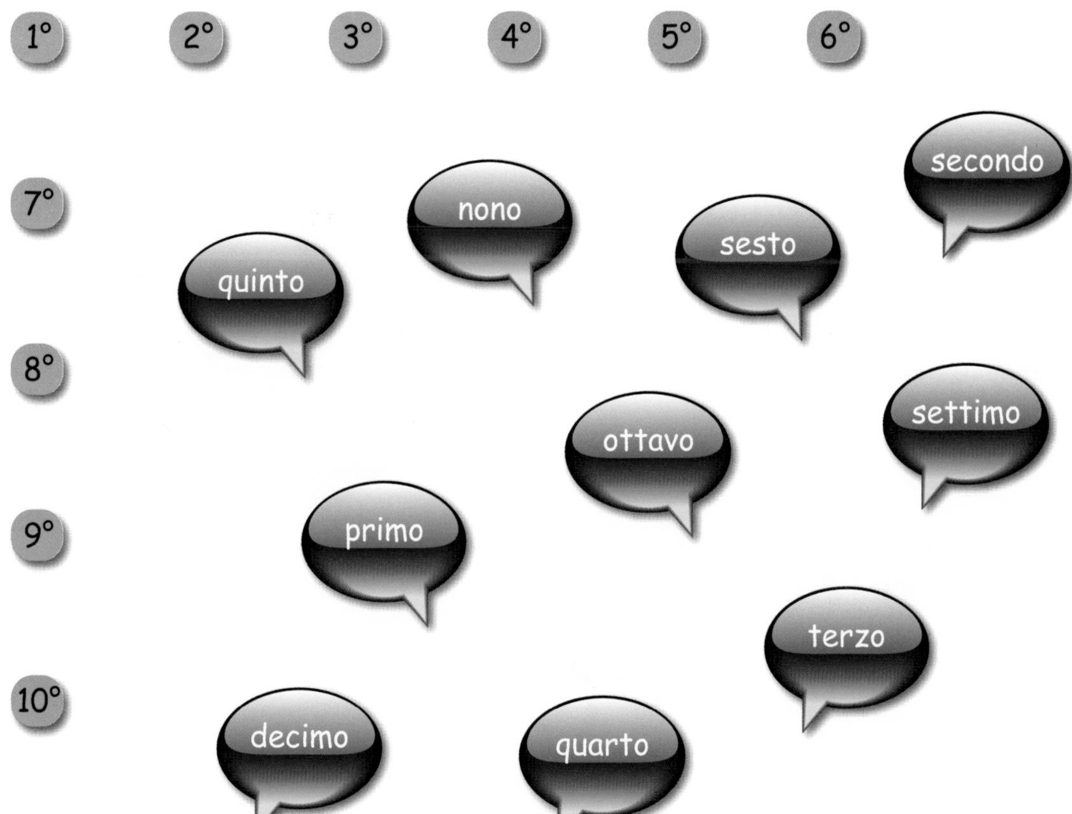

La nostra campionessa

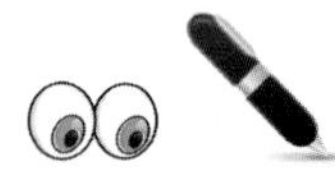

4 Fai la classifica dei tuoi giochi preferiti.

1° Al primo posto: ....

2° Al secondo posto: ....

3° Al terzo posto: ....

5 Leggi e completa la tabella.

1) Paula ha vinto una medaglia d'oro ieri mattina a Torino: è arrivata prima negli 800 m.
2) La classe di Simone ad aprile è andata in gita a Roma per visitare il Colosseo.
3) Laura mercoledì 7 dicembre ha fatto una bella festa a casa sua per il suo compleanno.

CHI?	COSA?	QUANDO?	DOVE?	PERCHÉ?
Paula	ha vinto una medaglia d'oro	ieri mattina	a Torino	è arrivata prima negli 800 m

15

6 Ascolta e canta: "Siamo tutti giornalisti".

CD-ROM

Chi, cosa, quando, dove, perché?
Cerca le risposte a queste domande
racconta, spiega, scrivi
e giornalista tu sarai.

Chi, cosa, quando, dove, perché?
Scrivi le risposte a queste domande
cerca, racconta, spiega
e giornalista tu sarai.

1 - 2

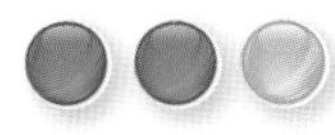

1 Ritaglia e incolla le figure a pagina 145.

CALCIO

PALLAVOLO

BASKET

SCI

GINNASTICA

DANZA

CICLISMO

EQUITAZIONE

CORSA

SALTO IN ALTO

TENNIS

NUOTO

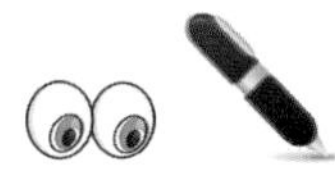

2 Leggi e completa con: calcio, basket, salto in alto, nuoto.

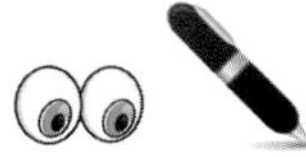

3 Leggi e poi riordina le frasi.

Due anni fa facevo atletica. Mi piaceva molto il salto in alto. Andavo tutti i giorni agli allenamenti e due volte l'anno partecipavo alle gare. Ma non ho mai vinto!

1. faceva / Fang Fang / due / atletica / anni / fa.

   ....

2. salto / A / piaceva / Fang Fang / in / alto. / molto / il

   ....

3. Fang Fang / agli / allenamenti. / i / tutti / andava / giorni

   ....

4. volte / Due / partecipava / gare. / alle / l' / anno

   ....

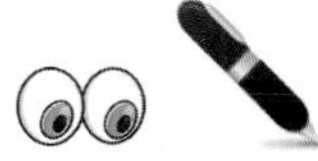

4 Osserva.

Tutti i giorni andavo agli allenamenti. Due anni fa facevo atletica.

5 Metti nella colonna giusta.

Io andavo • Io vado • Tu leggi • Tu leggevi • Lei disegnava • Lui disegna • Noi parliamo • Noi parlavamo • Voi giocate • Voi giocavate • Loro facevano • Loro fanno

ORA	PRIMA
Io vado	Io andavo

3 - 4

La nostra campionessa

1 Osserva e completa con: correre, giocare, nuotare, sciare, giocare, saltare.

1. Io so giocare a tennis.
2. Io so .... a basket.
3. Io so ....

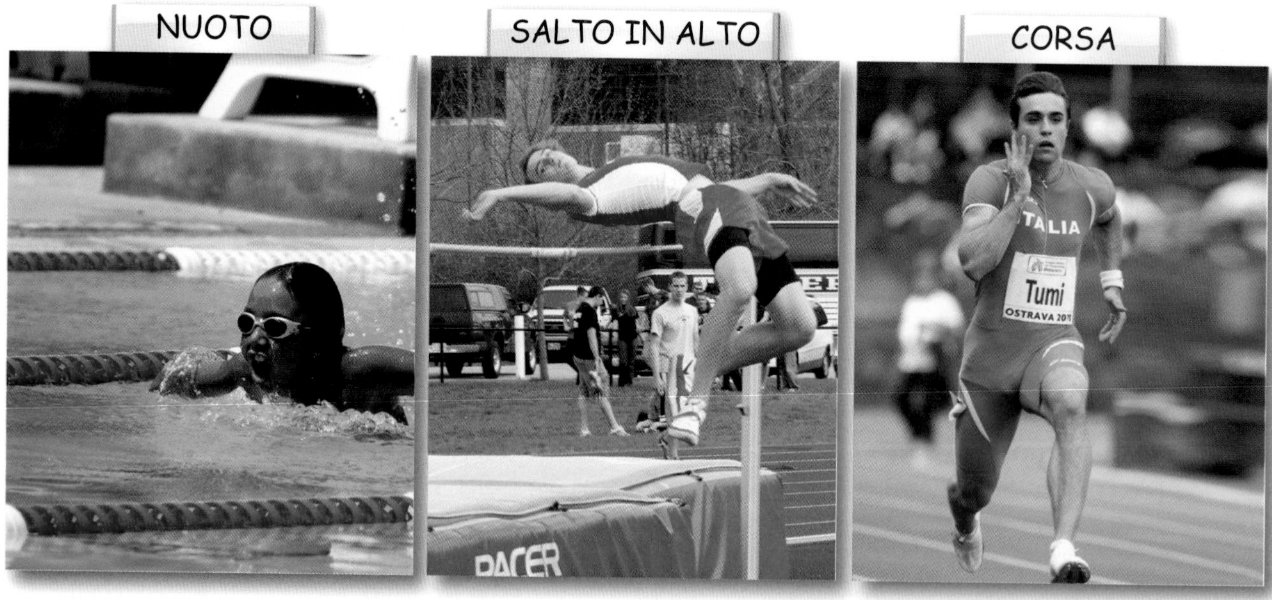

4. Io so ....
5. Io so .... in alto.
6. Io so ....

2 Ascolta e completa.

ABBIAMO VINTO! EVVIVA!

HAMID SA .... BENE A CALCIO.
EH, SÌ! A TE PIACE GIOCARE A CALCIO?

SÌ, MI PIACE, MA PREFERISCO ANDARE A .... IN INVERNO.

L'ANNO SCORSO SONO ANDATA IN MONTAGNA E HO IMPARATO A SCIARE.

DAVVERO? SAI SCIARE? CHE BELLO!
COFF COFF

IO SO ....!
SÌ, BRAVA, LISA!

3 Chiedi a quattro amici: "Sai ... ?" e metti ✓ o ✗.

	NOMI			
Sai giocare a basket?				
Sai giocare a calcio?				
Sai giocare a pallavolo?				
Sai sciare?				
Sai nuotare?				

4 E tu, sai ... ? Rispondi con: "Sì, io so ..." / "No, io non so ...".

Sai giocare a basket? ....

Sai giocare a calcio? ....

Sai giocare a pallavolo? ....

Sai sciare? ....

Sai nuotare? ....

5 Qual è il tuo sport preferito? Racconta.

....

....

....

....

....

5 - 7

VOCABOLARIO

Ritaglia le figure a pagina 147 e incollale in ordine di preferenza (1° = lo sport preferito; 12° = lo sport che piace meno). Scrivi il nome degli sport.

1° primo	2° secondo	3° terzo	4° quarto
....	....	....	....

5° quinto	6° sesto	7° settimo	8° ottavo
....	....	....	....

9° nono	10° decimo	11° undicesimo	12° dodicesimo
....	....	....	....

1 Leggi, ritaglia e incolla al posto giusto le foto a pagina 149.

Ecco Simone vicino alla chiesa.

Hamid davanti al monumento di Dante.

Ecco Paula vicino al castello.

Io e Edmond davanti alle vecchie mura.

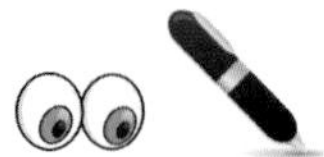

2 Completa le cartoline.

TANTI SALUTI DA

CIAO DA

TANTI SALUTI DA

CIAO DA

Intervallo!!! 3

3 Cerchia l'espressione giusta: "Sa" o "Non sa"?

Sa / Non sa sciare.

Sa / Non sa nuotare.

Sa / Non sa danzare.

Sa / Non sa giocare a basket.

Sa / Non sa giocare a tennis.

Sa / Non sa saltare in alto.

4 Canzomimando. Ascolta, canta e mima: "Sai sciare? Sai nuotare?".

Sai sciare?
Sai nuotare?
Sai correre e saltare
in alto, con l'asta?
Evviva lo sport!
Mi piace il basket
Il calcio è molto bello
Io preferisco il tennis
Evviva lo sport!
Io vado a cavallo,
faccio equitazione
Io gioco a pallavolo
Evviva lo sport!
Tu sai pattinare?
Sai fare ginnastica?
A me piace l'atletica
Evviva lo sport!

5 Disegna i tuoi cibi preferiti sul podio. Scrivi la classifica.

Al primo posto: ....

Al secondo posto: ....

Al terzo posto: ....

Tanti nuovi amici

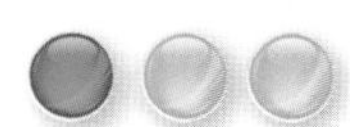

1 Leggi

RAGAZZI, ECCO IL BLOG "CI@O". SU QUESTO BLOG INCONTRERETE NUOVI AMICI.
Ci@o!

OGNUNO DI VOI DEVE ISCRIVERSI. AVETE BISOGNO DI UN NUOVO NOME, DI UNA PASSWORD E DI UN AVATAR.

SÌ, SÌ, IO MI CHIAMERÒ PINOLINO...

AH, AH, AH... PINOLINO!

MAESTRA, COSA POSSIAMO SCRIVERE SU UN BLOG?

Ci@o!
POTETE RISPONDERE AI POST DI ALTRI AMICI, PARLARE DEI VOSTRI INTERESSI, FAR CONOSCERE LA VOSTRA CITTÀ...

2 Leggi e completa: iscriviti anche tu al blog "Ci@o".

Ci@o!

Nome utente	*(Inventa il tuo nuovo nome)*
Password	*(Scrivi un codice in lettere e numeri - max. 8)*
Indirizzo e-mail	*(Non hai un indirizzo e-mail? Inventalo!)*
Domanda segreta	*(Scrivi una domanda: es. quanti anni hai?)*
Risposta segreta	*(Scrivi la risposta: es. undici anni)*

Complimenti! Ti sei registrato al blog "Ci@o"!

3 Disegna il tuo avatar.

Ora...

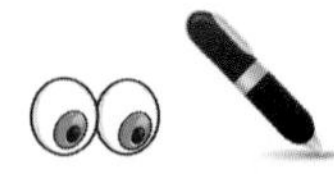

4 Leggi e poi scrivi anche tu un post.

Ci@o!

Giochi e sport

MAGGIO 04 Pubblicato da kia02 10:00 — 25 Commenti

Equitazione: che passione!
Vi presento Ciccio il mio cavallo! Con lui vado a fare delle bellissime passeggiate in collina. Ciccio è buonissimo. Non si arrabbia mai!
A Ciccio piacciono le carote.
È golosissimo! kia02

Condividi »

MAGGIO 04 Pubblicato da Frippy 11:00 — 17 Commenti

Mario, il mio eroe preferito!
È un personaggio invincibile di alcuni videogiochi!
È fortissimo quando diventa "Mario-elica"!
A me piace molto anche Luigi. Frippy

Condividi »

MAGGIO 04 — 0 Commenti

....

....

....

....

....

....

....

Condividi »

Calendario

Maggio						
	1	2	3	4	5	6
7	8	9	10	11	12	13
14	15	16	17	18	19	20
21	22	23	24	25	26	27
28	29	30	31			

Archivio

- Maggio (5)
- Aprile (15)
- Marzo (12)
- Febbraio (22)
- Gennaio (32)
- Dicembre (55)

Sezioni

- Giochi e sport
- La mia città
- Racconta
- Film

1 - 2

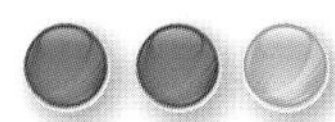

1 Leggi.

Ci@o!

La mia città

MAGGIO 04 Pubblicato da Nat
12:30

10 Commenti

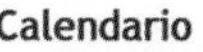

Ciao ragazzi,
vi presento il mio paese: Cefalù. Dove si trova Cefalù? Vicino a Palermo, in Sicilia! Venite a trovarmi. Il mio papà lavora in un ristorante, fa il cuoco. Sa cucinare tante cose buone: i suoi cannoli siciliani sono buonissimi. Quando ero piccolo andavo a pescare in barca con mio nonno. Ora vado a nuotare. Il mare è bellissimo! Quando avrò 15 anni farò sub con mio zio.
Ciao e votate il mio post!
Nat

Condividi »

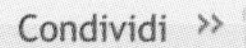

MAGGIO 04 Pubblicato da Dodoo
13:00

11 Commenti

Ciao Nat,
anch'io abito in una città sul mare, Ancona. Ho fatto questa foto sul Conero, vicino alla mia città. Il mio papà e la mia mamma lavorano al porto di Ancona. Quando finisce la scuola vado con i miei nonni sulla spiaggia del Conero. È bella, vero?
A me piace fare windsurf in estate, mentre in inverno gioco a basket. Da grande sarò un campione!
Dodoo

Condividi »

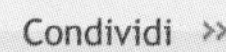

Calendario

Maggio						
	1	2	3	4	5	6
7	8	9	10	11	12	13
14	15	16	17	18	19	20
21	22	23	24	25	26	27
28	29	30	31			

Archivio

- Maggio (5)
- Aprile (15)
- Marzo (12)
- Febbraio (22)
- Gennaio (32)
- Dicembre (55)

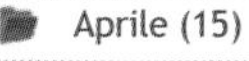

Sezioni

- Giochi e sport
- La mia città
- Racconta
- Film

Ci@o!

La mia città

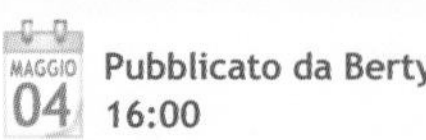
MAGGIO 04 Pubblicato da Berty
16:00

33 Commenti

Cosa ne dite di queste bellissime montagne? Dove siamo? Ad Andalo. Dove? In Trentino! Qui ad Andalo possiamo nuotare solo in piscina. Io preferisco fare pattinaggio sul ghiaccio e sciare! Il mio papà è maestro di sci. Venite a trovarmi e imparerete a sciare benissimo! E se dopo lo sci avete fame, non vi preoccupate, la mia nonna vi preparerà un ottimo strudel. Allora, cosa ne dite? Ci vediamo ad Andalo?
Berty

Condividi »

MAGGIO 04 Pubblicato da Lalla
19:00

10 Commenti

Vi piace Pescasseroli con la neve? Ma dove si trova Pescasseroli? In Abruzzo in mezzo al Parco Nazionale dell'Abruzzo. La mia mamma è guardia forestale nel Parco. È un lavoro bellissimo: anch'io da grande farò la guardia forestale. Mi piace andare in giro con la bici. In inverno, invece, il maestro Nicola ci porta a sciare! Quando avevo tre anni ho visto un orso. Che paura! Anche l'orso ha avuto paura ed è scappato via!
Lalla

Condividi »

Calendario

Maggio						
	1	2	3	4	5	6
7	8	9	10	11	12	13
14	15	16	17	18	19	20
21	22	23	24	25	26	27
28	29	30	31			

Archivio

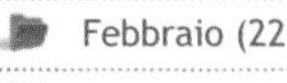

- Maggio (5)
- Aprile (15)
- Marzo (12)
- Febbraio (22)
- Gennaio (32)
- Dicembre (55)

Sezioni

- Giochi e sport
- La mia città
- Racconta
- Film

2 Rispondi alle domande.

1. Che lavoro fa il papà di Nat? ....
2. Dove abita Nat? ....
3. Che cosa farà Nat quando avrà 15 anni? ....
4. Dove abita Dodoo? ....
5. Che cosa piace a Dodoo? ....
6. Dove abita Berty? ....
7. Che cosa preferisce fare Berty? ....
8. Dove abita Lalla? ....
9. Che cosa vuole fare da grande Lalla? ....
10. Cosa ha visto Lalla quando era piccola? ....

3 Vai a pagina 151 e cerca sulla cartina le città di Nat, Dodoo, Berty e Lalla.

4 Metti nella colonna giusta.

	ESSERE	AVERE
IO		
TU		
LUI/LEI		
NOI		
VOI		
LORO		

ERI ERA ERAVAMO
ERO ERAVATE ERANO
AVEVI AVEVA AVEVO
AVEVAMO AVEVATE AVEVANO

3 - 4

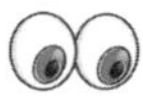

1 Leggi.

La mia città

MAGGIO 04 Pubblicato da Pix-El 19:30

33 Commenti

Ecco Orvieto, in Umbria. Bellissima, vero? Venite a trovarmi e vi porterò a fare delle passeggiate a cavallo. I miei genitori hanno una fattoria: facciamo un olio buonissimo. Nella fattoria abbiamo mucche, maiali e tante galline. Quando ero piccolo avevo paura delle mucche. Ora no! Mi piace molto vivere nella fattoria, ma da grande voglio fare il dottore. Pix-El

Condividi »

MAGGIO 04 Pubblicato da Crocro 19:50

10 Commenti

Vi presento il mio paese: Jelsi. Jelsi si trova in Molise ed è famoso per la festa del grano. Prepariamo dei bellissimi carri (guardate la foto) e poi sfiliamo per le vie del paese con musica e balli. È una festa bellissima. Da grande anch'io imparerò a costruire i carri! Venite a Jelsi il 26 di luglio! Crocro

Condividi »

Calendario

Maggio						
	1	2	3	4	5	6
7	8	9	10	11	12	13
14	15	16	17	18	19	20
21	22	23	24	25	26	27
28	29	30	31			

Archivio

- Maggio (5)
- Aprile (15)
- Marzo (12)
- Febbraio (22)
- Gennaio (32)
- Dicembre (55)

Sezioni

- Giochi e sport
- La mia città
- Racconta
- Film

Ci@o!

La mia città

MAGGIO 04 Pubblicato da Pesciolino01 20:40

22 Commenti

Il paese dei fiori e dei giardini: Verbania. Dove si trova? Sul Lago Maggiore. A me piace tantissimo la mia città. In primavera i giardini sono davvero bellissimi e io vado sempre dal mio papà: il mio papà è giardiniere! Anch'io da grande farò il giardiniere...
Pesciolino01

Condividi »

Calendario

			Maggio			
	1	2	3	4	5	6
7	8	9	10	11	12	13
14	15	16	17	18	19	20
21	22	23	24	25	26	27
28	29	30	31			

Archivio

- Maggio (5)
- Aprile (15)
- Marzo (12)
- Febbraio (22)
- Gennaio (32)
- Dicembre (55)

Sezioni

- Giochi e sport
- La mia città
- Racconta
- Film

2 Metti ✓.

	Pix-El	Crocro	Pesciolino01
1. Abita in campagna.			
2. I suoi genitori hanno una fattoria.			
3. Da grande farà il giardiniere.			
4. Nel suo paese fanno la festa del grano.			
5. Abita sul Lago Maggiore.			

3 Vai a pagina 151 e cerca le città dove abitano Pix-El, Crocro e Pesciolino01.

4 Scrivi anche tu sul blog "Ci@o". Presenta la tua città, parla di te e di cosa vuoi fare da grande.

Ci@o!

La mia città

MAGGIO 04

Commenti

....

....

....

....

....

....

....

Condividi »

Calendario

Maggio						
	1	2	3	4	5	6
7	8	9	10	11	12	13
14	15	16	17	18	19	20
21	22	23	24	25	26	27
28	29	30	31			

Archivio

- Maggio (5)
- Aprile (15)
- Marzo (12)
- Febbraio (22)
- Gennaio (32)
- Dicembre (55)

Sezioni

- Giochi e sport
- La mia città
- Racconta
- Film

5 Metti nella colonna giusta.

SARAI — AVREMO
SARÒ — AVRÒ
SARETE — AVRAI
SARÀ — AVRANNO
SAREMO — AVRÀ
SARANNO — AVRETE

	ESSERE	AVERE
IO		
TU		
LUI/LEI		
NOI		
VOI		
LORO		

5 - 6

VOCABOLARIO

Ritaglia le frasi a pagina 153 e completa i post di Simone, Paula, Hamid, Fang Fang e Edmond.

Ci@o!

Racconta

MAGGIO 04

MAGGIO 04

MAGGIO 04

MAGGIO 04

MAGGIO 04

Calendario

Maggio						
	1	2	3	4	5	6
7	8	9	10	11	12	13
14	15	16	17	18	19	20
21	22	23	24	25	26	27
28	29	30	31			

Archivio

- Maggio (5)
- Aprile (15)
- Marzo (12)
- Febbraio (22)
- Gennaio (32)
- Dicembre (55)

Sezioni

- Giochi e sport
- La mia città
- Racconta
- Film

Esercitiamoci!

1 Metti in ordine.

1. migliore / mio / Hamid / è / il / amico.

   ....

2. mia / è / la / amica. / Paula / migliore

   ....

3. è / una / Fang Fang / mia / amica.

   ....

4. amico. / mio / è / un / Simone

   ....

2 Aiuta Mago Trasformino.

1. Io vado in vacanza.
   Io sono andato in vacanza.
2. Tu vai a Roma.
   Tu ....
3. Lui va a Milano.
   Lui ....

4. Noi andiamo a Firenze.
   Noi ....
5. Voi andate a Napoli.
   Voi ....
6. Loro vanno a casa.
   Loro ....

3 Completa con: storia, maglietta, abita, montagna, compiti.

1. Linda .... a Milano.
2. Simone ha fatto i .... delle vacanze.

3. Devo finire i compiti di ....
4. Paula è andata in .... con i genitori.
5. Linda ha una .... rosa.

4 Scrivi al posto giusto: gamba, braccio, pancia, mano, piede, testa.

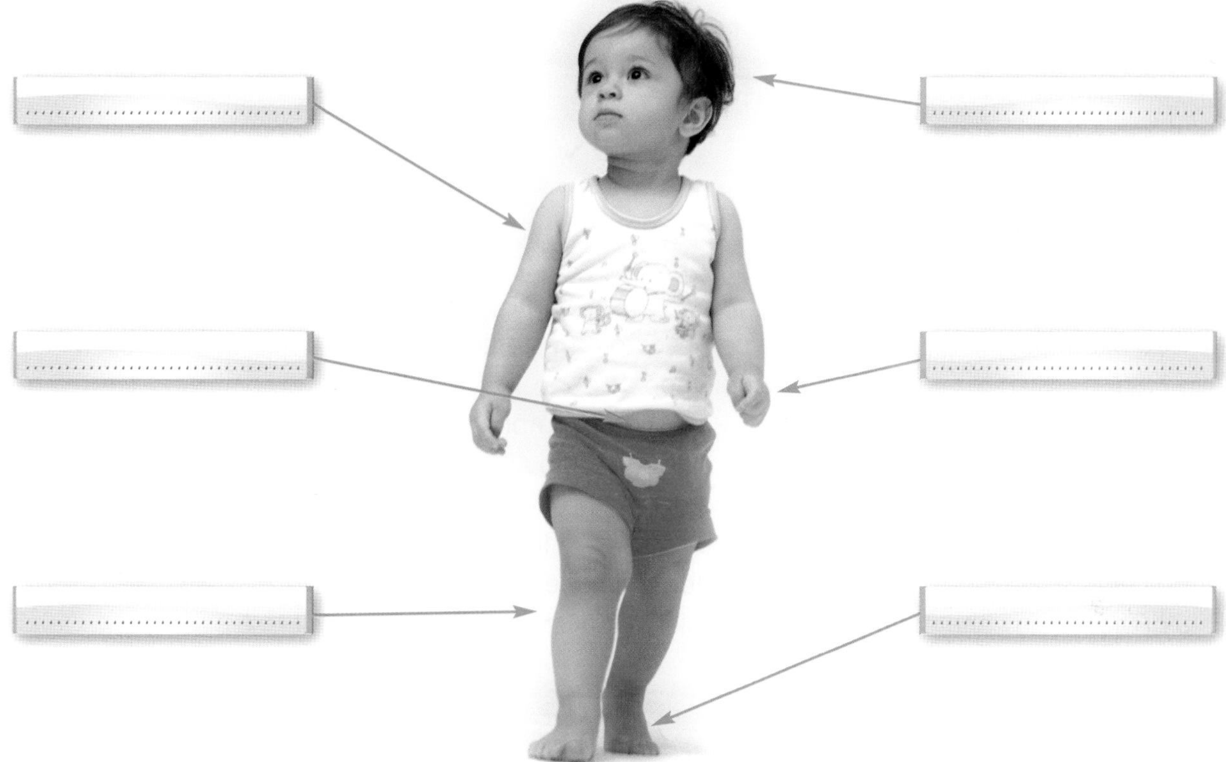

5 Unisci.

1. mucca 2. maiale 3. cavallo 4. cane 5. gatto 6. leone

Esercitiamoci!

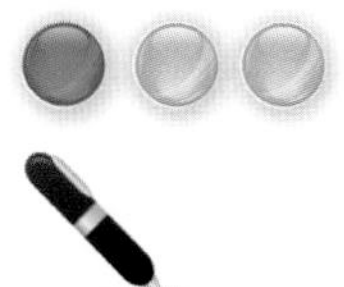

1 Completa con: mai, mi, *tu*, faccio, scuola, compiti, giornate, cena, pranzo, a volte.

File Modifica Visualizza Inserisci Formato Strumenti Messaggio ?

A... paulita@forte.it

Cc...

Oggetto Re: ciao

Ciao Paula!
Io sto bene e *tu* (1)?
Le vacanze sono finite e le mie ....(2) sono sempre uguali.
Mi alzo alle 7.00, ...(3) lavo, mi vesto e mi pettino.
Alle 7.30 ....(4) colazione, poi vado a ....(5) alle 8.00.
Esco alle 13.00 e poi vado a ....(6) da mia nonna.
Dopo pranzo non guardo ....(7) la TV, vado al computer e poi faccio sempre i ....(8). Alle 16.30 vado al corso di hip hop.
Di solito, prima di ....(9), ascolto musica e leggo qualche rivista.
Dopo cena ....(10) vado in camera mia a leggere un libro.
E tu? Raccontami che cosa fai. E i tuoi amici? Che cosa fanno?
Scrivetemi!
Baci
Linda

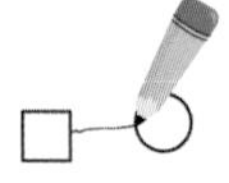

2 Unisci.

a. mi lavo
b. si alza
c. ti vesti
d. mi alzo
e. si veste

1. Io
2. Tu
3. Lui/Lei

f. ti pettini
g. si pettina
h. ti alzi
i. mi vesto
l. mi pettino

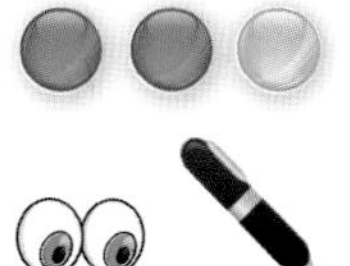

3 Leggi, osserva le immagini e completa.

1. Di solito dopo pranzo ....
2. A volte nel pomeriggio vado a ....
3. Di solito prima di cena ....
4. A volte dopo cena ....

4 Tu che cosa fai di solito? Rispondi alle domande.

Che cosa fai di solito la mattina? ....

Che cosa fai di solito dopo pranzo? ....

Che cosa fai di solito nel pomeriggio? ....

Che cosa fai di solito prima di cena? ....

Che cosa fai di solito dopo cena? ....

5 Unisci.

a. Sì, lo uso.
b. No, non le leggo.
c. Sì, la guardo.
d. Sì, le leggo.

1. Guardi la TV?
2. Leggi le riviste?
3. Usi il computer?
4. Leggi i libri?

e. No, non li leggo.
f. Sì, li leggo.
g. No, non la guardo.
h. No, non lo uso.

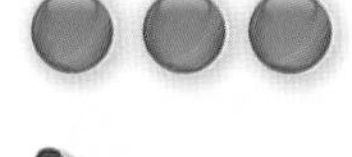

6 Scrivi seguendo l'esempio.

Guardi la TV?	Io non guardo mai la TV. Di solito guardo la TV dopo pranzo. Guardo spesso la TV. Guardo sempre la TV dopo cena.
Leggi le riviste?	
Usi il computer?	
Leggi i libri?	
Ascolti la musica?	
Collezioni figurine?	
Suoni la chitarra?	
Giochi con i videogiochi?	

7 Completa con: ne ho tanti/e, ne ho pochi/e.

1. Hai tante figurine? Sì, ne ho tante. No, ne ho poche.
2. Hai tanti videogiochi? Sì, ... No, ...
3. Hai tante pietre? Sì, ... No, ...
4. Hai tanti libri? Sì, ... No, ...

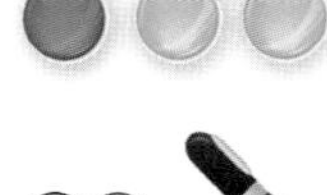

1 Com'è Lisa? Scrivi sotto il disegno.

1. Lisa è spaventata.
2. ....
3. ....

4. ....
5. ....

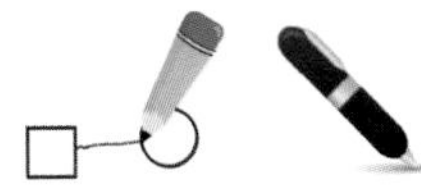

2 Unisci e forma delle frasi, poi scrivile sul quaderno.

1. Io sono triste
2. Edmond è stanco
3. Tu sei felice
4. Simone è arrabbiato
5. Fang Fang è felice
6. Paula è stanca

perché

a. la sua chitarra è rotta.
b. è andata in bici tutto il giorno.
c. la mia amica è andata via.
d. giochi a pallone con i tuoi amici.
e. ha corso tanto.
f. è tornata la sua migliore amica.

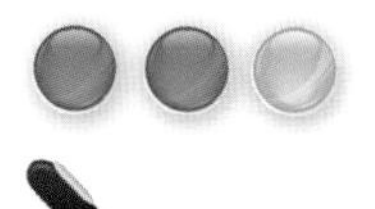

3 Completa con: ho, hai, ha.

1. Io .... caldo.
2. Tu .... freddo.
3. Io .... sonno.
4. Simone .... freddo.
5. Tu .... sonno.

4 Leggi e completa.

Caro diario,

sono a letto con la febbre.

Oggi i miei amici mi (1)...................... **fatto** un bello scherzo. (2)...................... **andato** ai giardini con Lisa e papà. Edmond (3)...................... **messo** un mantello e una maschera, poi (4)...................... **uscito** fuori da un cespuglio e mi (5)...................... **fatto** paura.

Io mi (6)...................... **arrabbiato**, ma poi (7)...................... **fatto** la pace. Il papà mi (8)...................... **chiamato** per andare a casa. A casa non (9)...................... **fatto** merenda: che mal di pancia!

La mamma (10)...................... **chiamato** il dottore. Eccolo! (11)...................... **suonato** il campanello! Ciao diario! (12)...................... **arrivato** il dottore!

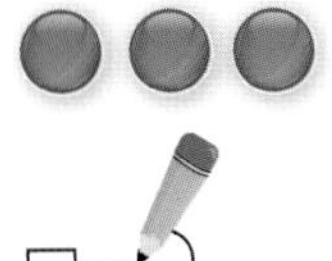

5 Unisci.

1. il dottore	a. la cantante
2. il contadino	b. la dottoressa
3. il maestro	c. l'operaia
4. il cuoco	d. la maestra
5. il cantante	e. la cuoca
6. l'operaio	f. la contadina
7. il poliziotto	g. l'insegnante
8. il parrucchiere	h. la ballerina
9. il ballerino	i. la poliziotta
10. l'insegnante	l. la parrucchiera

6 Leggi e completa.

1. Da .... voglio fare il poliziotto.
2. Da grande voglio .... il pescatore.
3. Da grande .... fare il parrucchiere.
4. Da grande voglio .... la ballerina.
5. Da grande .... la dottoressa.
6. .... voglio fare la cantante.

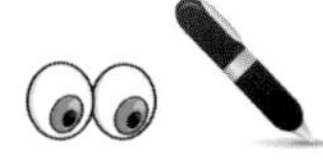

1 Che ore sono? Completa.

Sono le dieci e mezzo.

1 Sono le quattro ....

2 Sono le ....
meno un quarto.

3 È ....

4 È ....

5 Sono le quattro
....

2 Scrivi la domanda.

1. ....
   Ci vediamo domani.
2. ....
   Ci vediamo alle quattro e dieci.
3. ....
   Ci vediamo davanti al cancello.
4. ....
   Ci vediamo alle cinque.
5. ....
   Ci vediamo domenica.

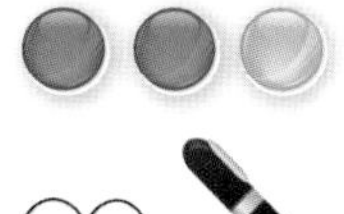

3 Scrivi al posto giusto: a destra, a sinistra, dritto, vicino, lontano, in fondo.

....

....

4 Sottolinea la frase corretta.

a. In la piazza c'è un bambino. b. Nella piazza c'è un bambino.

1a. Sull'albero c'è un gatto. 1b. Su l'albero c'è un gatto.

2a. Vicino a la casa c'è un semaforo. 2b. Vicino alla casa c'è un semaforo.

3a. Vicino al fiume c'è un prato. 3b. Vicino a il fiume c'è un prato.

4a. Il cappello è de lo zio. 4b. Il cappello è dello zio.

5 Unisci.

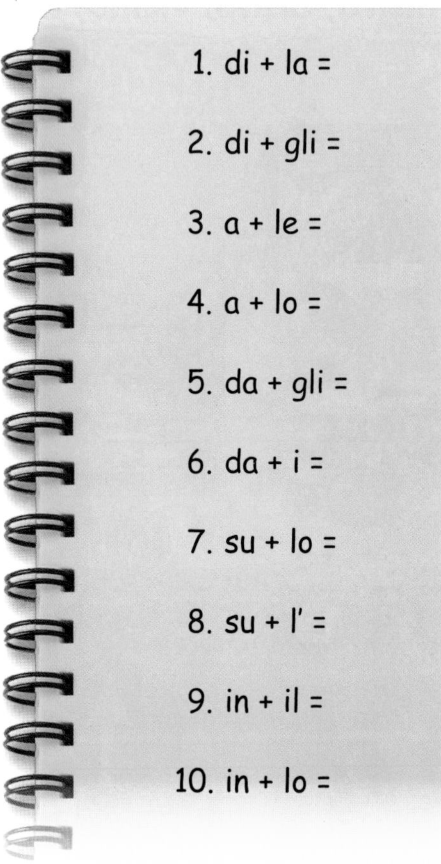

1. di + la =
2. di + gli =
3. a + le =
4. a + lo =
5. da + gli =
6. da + i =
7. su + lo =
8. su + l' =
9. in + il =
10. in + lo =

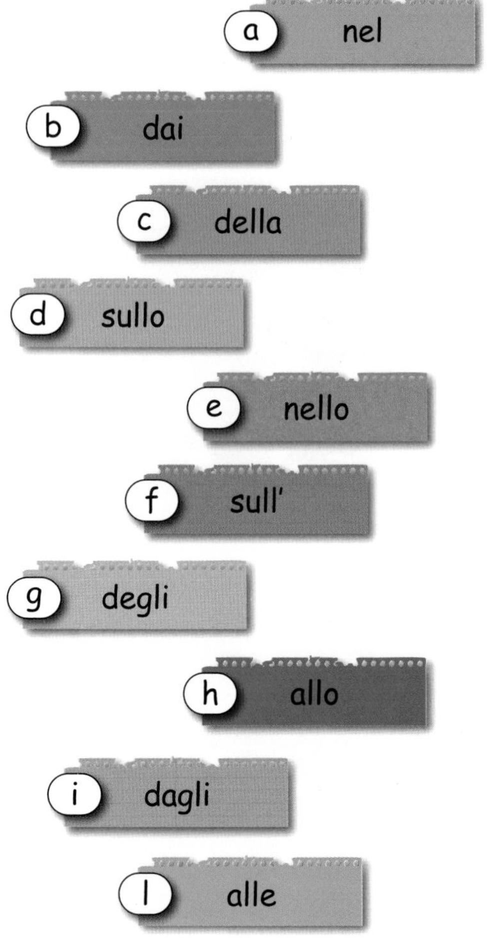

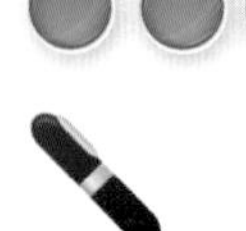

6 Completa i messaggi.

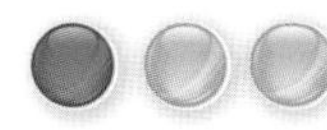

1 Scrivi sotto il giusto negozio: matite, pesce, fiori, maglietta, torta, gomma, pane, pantaloni.

....

....

....

....

....

....

....

....

2 Scrivi la domanda e la risposta, come nell'esempio.

Quanto costa la maglietta?

Costa venti euro.

1. ....

2. ....

3. ....

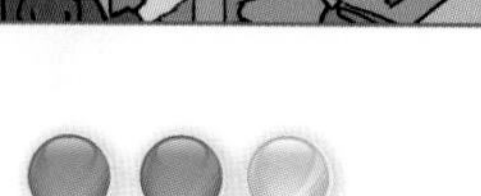

3 Facciamo un bel disegno con le foglie! Osserva le immagini e metti il numero alle frasi.

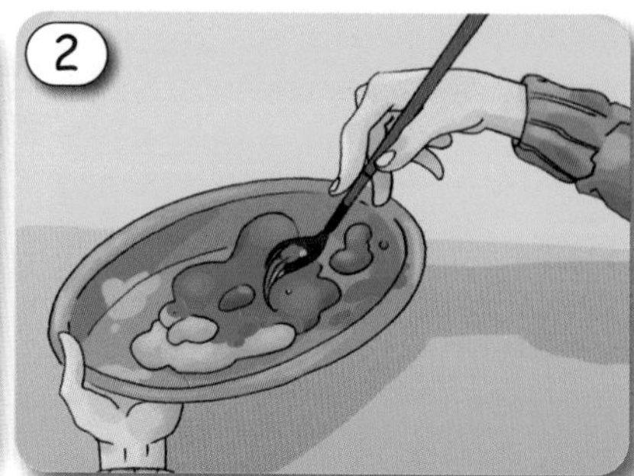

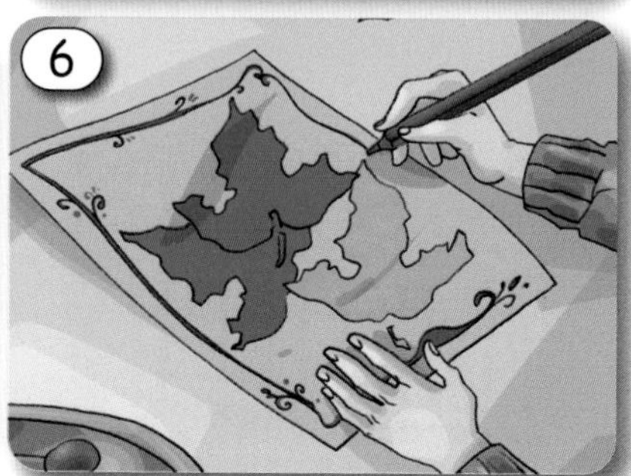

a. Prendi tre o quattro foglie. ☐

b. Colora la cornice. Che bello! ☐

c. Metti una foglia nel colore. ☐

d. Metti la foglia sopra un foglio. ☐

e. Ripeti ancora. ☐

f. Prepara il colore in un piatto. ☐

4 Completa.

aprire	Paula, apri lo zaino.	Paula, non aprire l'armadio!
correre	1a. Hamid, ... veloce!	1b. Hamid, ... in casa.
chiudere	2a. Edmond, ... il libro.	2b. Edmond, ... la porta.
mettere	3a. Lisa, ... il libro sul tavolo.	3b. Lisa, ... i colori sul divano.
giocare	4a. Simone, ... in camera tua.	4b. Simone, ... sempre con i videogiochi!

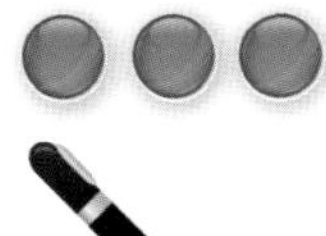

5 Completa con: manderò, ascolterà, conoscerò, arriverà, giocherà.

Domani andrò a comprare un libro.

1. Linda .... la musica.
2. Edmond .... con la palla.
3. Thomas .... domani.
4. Domani .... un nuovo amico.
5. Lunedì ti .... un messaggio e-mail.

6 Metti nell'insieme giusto:

io giocherò | lei andrà | tu corri | io compro

tu hai ascoltato | voi guardate | io arriverò

noi saltiamo | noi abbiamo scritto | lui è arrivato

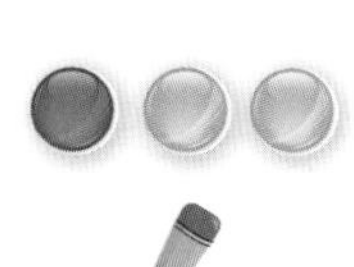

Esercitiamoci!

1 Unisci il nome all'immagine giusta.

1. il monumento
2. la chiesa
3. il castello
4. la palestra
5. le mura
6. la piazza

2 Leggi e rispondi alle domande.

Ciao, mi chiamo Leonardo e abito in una piccola città. Nella mia città abbiamo una grande piazza, Piazza Michelangelo, e dei piccoli giardini. Non abbiamo un castello, ma ci sono delle vecchie mura. Vicino alla mia scuola c'è una palestra. A me piace la mia città.

1. Dove abita Leonardo? ....
2. Come si chiama la piazza? ....
3. C'è un castello nella sua città? ....
4. Ci sono le mura? ....
5. Dove si trova la palestra? ....

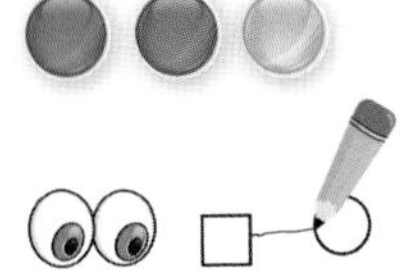

3 Leggi e unisci all'immagine giusta.

1. Il mio castello preferito si trova a Fénis.
2. La mia città preferita è Torino.
3. Sanremo è una bella città sul mare.
4. La cosa che mi è piaciuta di più di Torino è il Museo Egizio.

a

4 Completa le frasi come vuoi tu.

1. Il mio animale preferito è ....
2. Il cibo che mi piace di più è ....
3. Il gioco che mi piace di più è ....
4. La cosa che mi piace fare di più è ....
5. Il mio colore preferito è ....

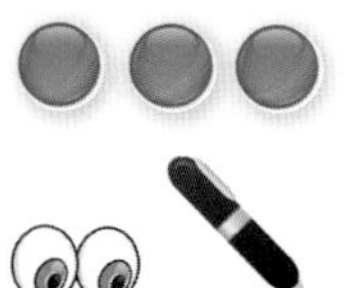

5 Osserva i disegni e completa con: più, meno, come.

1. Lo zaino blu è .... piccolo dello zaino giallo e rosso.

2. La torre Rossa è .... alta della torre Blu.

3. La matita rossa è lunga .... la matita blu.

4. Il maglione verde è .... largo del maglione giallo.

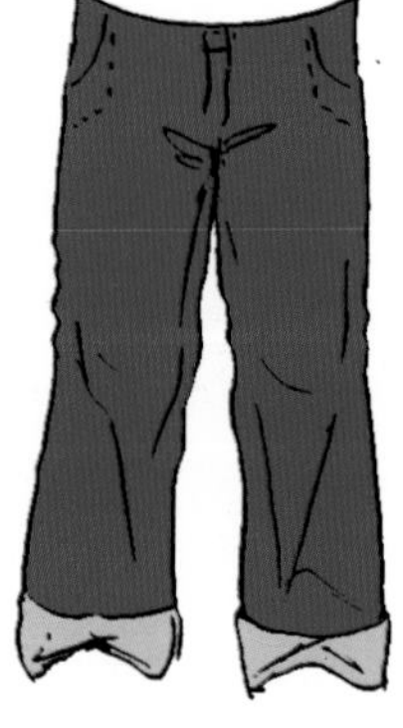

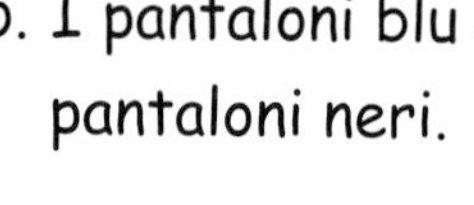

5. I pantaloni blu sono lunghi .... i pantaloni neri.

6. Lisa è .... alta di Simone.

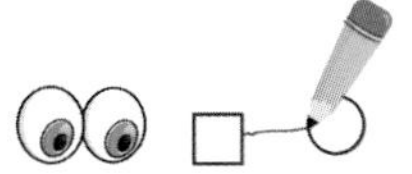

6 Vero o falso? Leggi alle pagine 64 e 65 e metti ✓.

	V	F
1. Bologna si trova in Toscana.	☐	☐
2. Bologna è famosa per il mare.	☐	☐
3. La Torre degli Asinelli è a Bologna.	☐	☐
4. Tropea si trova in Calabria.	☐	☐
5. A Tropea c'è un mare bellissimo.	☐	☐
6. Tropea è famosa per i suoi tortellini.	☐	☐
7. Alberobello è in Puglia.	☐	☐
8. Le case di Alberobello si chiamano trulli.	☐	☐
9. Matera si trova in Lombardia.	☐	☐
10. A Matera ci sono le famose pietre.	☐	☐

1 Metti in ordine: terzo, sesto, decimo, secondo, nono, quinto, settimo, *primo*, ottavo, quarto.

primo	....	....	....	....
....	....	....	....	....

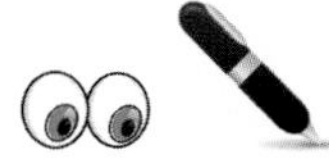

2 Leggi e completa la tabella.

a) Per il suo compleanno, ieri, Simone ha comprato una torta nella pasticceria di Via Verdi.
b) Linda, ieri, ha invitato Anna a casa sua per ascoltare la musica.
c) A scuola, ieri mattina, Lisa non stava bene: aveva il mal di testa e la febbre.

CHI?	COSA?	QUANDO?	DOVE?	PERCHÉ?

3 Riordina le lettere e scopri il nome dello sport.

CACLIO CALCIO

1. VAPALLOLO ....
2. NSGINCATIA ....
3. NDZAA ....
4. CMSCILIO ....
5. KATSBE ....
6. TONUO ....

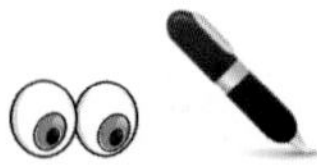

4 Leggi e completa.

1. Due anni fa .... (*faccio/facevo*) atletica.
2. Oggi .... (*vado/andavo*) a scuola.

3. Un anno fa .... (*gioco/giocavo*) a basket.
4. Prima Simone .... (*guarda/guardava*) sempre la TV dopo cena,
   ora .... (*ascolta/ascoltava*) la musica.
5. Ora Hamid .... (*legge/leggeva*) un libro.
6. Prima Edmond e Paula .... (*scrivono/scrivevano*) sul quaderno,
   ora .... (*mangiano/mangiavano*) la merenda.

5 Osserva la tabella e poi scrivi: che cosa sanno fare Edmond, Linda, Paula e Hamid?

	Edmond	Linda	Paula	Hamid
giocare a tennis	✗	✓	✓	✗
nuotare	✓	✓	✓	✓
sciare	✗	✗	✓	✗
giocare a basket	✓	✓	✗	✓

Edmond sa ....
Linda ....
Paula ....
Hamid ....

6 Completa con: so, sai, sa, sappiamo, sapete, sanno.

1. Chiara .... sciare.
2. Io .... disegnare.
3. Tu .... giocare a calcio.
4. Simone e Linda .... nuotare.
5. Io e Paula .... giocare a tennis.
6. Tu e Francesco .... giocare a basket.

7 Aiuta Mago Trasformino: cambia dal presente al passato.

Io gioco a basket. — Io giocavo a basket.
1. Lui scia in montagna. — ....
2. Noi corriamo sulla pista. — ....
3. Fang Fang fa atletica. — ....

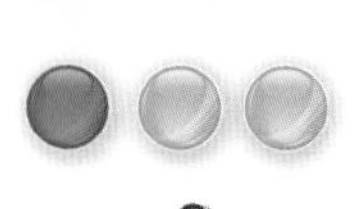

1 Leggi e rispondi alle domande.

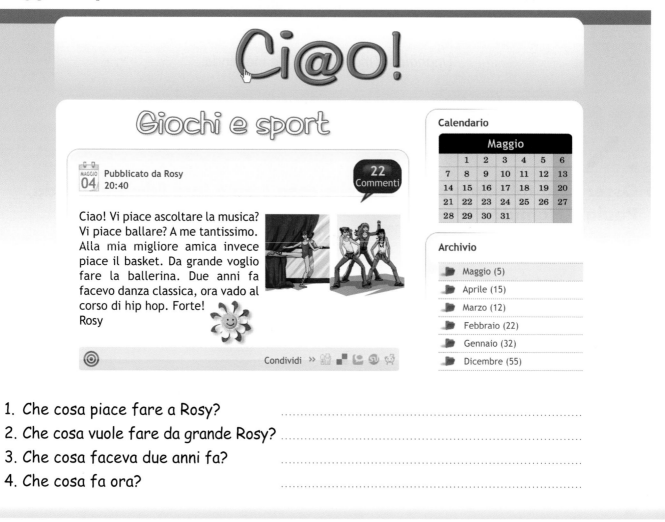

Ci@o!

Giochi e sport

MAGGIO 04 Pubblicato da Rosy
20:40

22 Commenti

Ciao! Vi piace ascoltare la musica? Vi piace ballare? A me tantissimo. Alla mia migliore amica invece piace il basket. Da grande voglio fare la ballerina. Due anni fa facevo danza classica, ora vado al corso di hip hop. Forte!
Rosy

Condividi »

Calendario

Maggio						
	1	2	3	4	5	6
7	8	9	10	11	12	13
14	15	16	17	18	19	20
21	22	23	24	25	26	27
28	29	30	31			

Archivio

- Maggio (5)
- Aprile (15)
- Marzo (12)
- Febbraio (22)
- Gennaio (32)
- Dicembre (55)

1. Che cosa piace fare a Rosy? ....
2. Che cosa vuole fare da grande Rosy? ....
3. Che cosa faceva due anni fa? ....
4. Che cosa fa ora? ....

2 Leggi e completa con: TV, ascoltare, felice, stanco, videogiochi.

Giochi e sport

MAGGIO 04 Pubblicato da Billy02
11:40

22 Commenti

Ciao! A me piace .... musica, ma preferisco giocare con i ....
La sera guardo la .... e quando sono .... vado a letto. Avete visto la partita di calcio ieri sera? Ha vinto la mia squadra del cuore!
Sono .... !

Billy02

Calendario

Maggio						
	1	2	3	4	5	6
7	8	9	10	11	12	13
14	15	16	17	18	19	20
21	22	23	24	25	26	27
28	29	30	31			

Archivio

- Maggio (5)
- Aprile (15)
- Marzo (12)

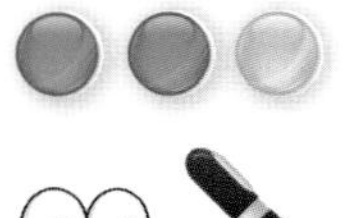

3 Leggi e completa con: ero, eri, era, eravamo, eravate, erano.

1. Ieri io e Paula .... ai giardini con le bici.
2. Quando io .... piccolo giocavo con le macchinine.
3. Paula, dove .... ieri mattina?
4. Ieri Fang Fang .... a casa della nonna.
5. I nonni .... molto felici di vedere Fang Fang.
6. Lo scorso anno tu e Lorenzo .... amici, ora non giocate più insieme.

4 Aiuta Mago Trasformino.

Io ho un gatto.	Io avevo un gatto.
1. Tu hai un maglione rosso.	Tu .... un maglione rosso.
2. Simone ha un pallone da basket.	Simone .... un pallone da basket.
3. Noi abbiamo tanti biscotti.	Noi .... tanti biscotti.
4. Tu e Paula avete un computer nuovo.	Tu e Paula .... un computer nuovo.
5. Hamid e Edmond hanno le magliette blu.	Hamid e Edmond .... le magliette blu.

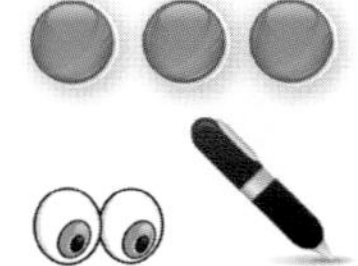

5 Metti nella colonna giusta.

Tu giocavi • Io andrò • Io ho mangiato • Noi ascoltavamo • Noi mangeremo • La mamma lavora • Voi andavate • Lisa e Simone andranno • Hamid e Paula sono andati • Io leggo • Lisa leggerà • Fang Fang e Hamid disegnano • Noi scriviamo • Edmond ha saltato • Tu corri • Tu giocherai • Voi saltate • Voi giocherete

Ieri / Prima	Oggi / Ora	Domani / Dopo

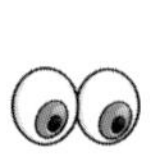
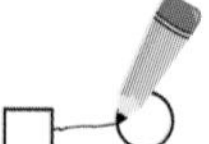

6 Unisci

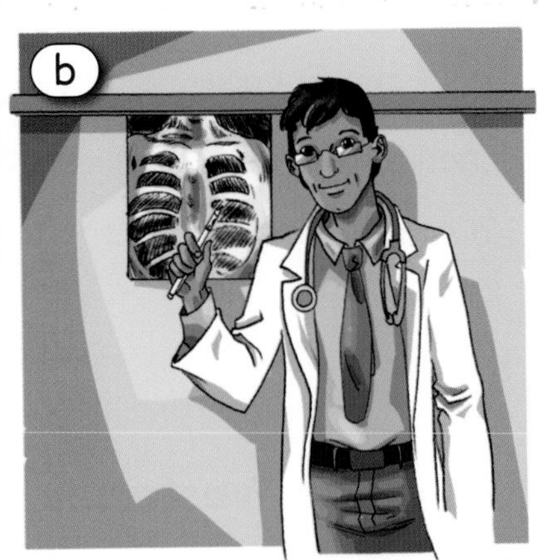

1. Da grande sarò un campione!
2. Da grande farò la guardia forestale!
3. Da grande farò il dottore.
4. Da grande imparerò a costruire carri!
5. Da grande farò il giardiniere!

e

RIPASSIAMO INSIEME

Per chiedere… per rispondere

Dove sei andato? / Dove sei stato?	Sono andato… Sono stato…
Dove sei andato in vacanza?	Sono andato al mare. Sono stato al mare.
Dove sei andata? / Dove sei stata?	Sono andata… Sono stata…
Dove sei stata in vacanza?	Sono andata in montagna. Sono stata in montagna.
Dove siete andati/andate…?	Siamo andati/andate… Siamo stati/state…
Dove siete state/andate ieri?	Siamo andate a scuola. Siamo state a scuola.
Chi è?	È la mia migliore amica. È il mio migliore amico.
Che cosa è?	È un/una…
È tuo/tua?	Sì, è mio/mia. No, non è mio/mia.

L'angolo della grammatica

io mi alzo... io mi metto... io mi vesto

(La forma riflessiva dei verbi)

Alzarsi	**Mettersi**	**Vestirsi**
Io mi alzo	Io mi metto	Io mi vesto
Tu ti alzi	Tu ti metti	Tu ti vesti
Lui/Lei si alza	Lui/Lei si mette	Lui/Lei si veste
Noi ci alziamo	Noi ci mettiamo	Noi ci vestiamo
Voi vi alzate	Voi vi mettete	Voi vi vestite
Loro si alzano	Loro si mettono	Loro si vestono

Attenzione!

(Pronomi riflessivi)

IO	MI
TU	TI
LUI/LEI	SI
NOI	CI
VOI	VI
LORO	SI

Per raccontare:
SEMPRE / DI SOLITO / A VOLTE / MAI

Faccio sempre i compiti.

Di solito ascolto musica.

A volte vado in camera mia a leggere un libro.

Non guardo mai la TV.

Attenzione!

NON ... MAI

La mattina non guardo mai la TV.

D'estate non vado mai in montagna.

Non gioco mai a pallone.

Per chiedere... per rispondere

GUARDI LA TV?	SÌ, LA GUARDO.	NO, NON LA GUARDO.
LEGGI LE RIVISTE?	SÌ, LE LEGGO.	NO, NON LE LEGGO.
USI IL COMPUTER?	SÌ, LO USO.	NO, NON LO USO.
LEGGI I LIBRI?	SÌ, LI LEGGO.	NO, NON LI LEGGO.

Per raccontare

PAULA HA POCHE CONCHIGLIE.	NE HA POCHE.
IO HO TANTE PIETRE.	NE HO TANTE.
HAMID HA TANTE FIGURINE.	NE HA TANTE.

Io sono stato... io ho chiamato

(Uso del verbo ESSERE e del verbo AVERE come ausiliari)

Attenzione!

Essere o Avere?

verbi	ESSERE	AVERE
andare	sono andato	
chiamare		ho chiamato
uscire	sono uscito	
fare		ho fatto
arrivare	sono arrivato	
leggere		ho letto
stare	sono stato	
mangiare		ho mangiato
...		

Per chiedere... per rispondere

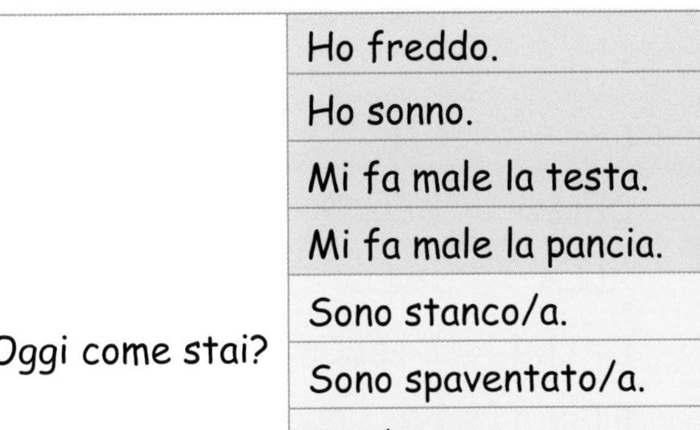

Oggi come stai?	Ho freddo.
	Ho sonno.
	Mi fa male la testa.
	Mi fa male la pancia.
	Sono stanco/a.
	Sono spaventato/a.
	Sto bene.
	Sono felice.
	Sono triste.
	Sono arrabbiato/a.

Per raccontare

Paula è stanca perché ha corso tanto.

Io sono felice perché è arrivata la zia.

Tu sei triste perché è partito il tuo amico.

Simone è arrabbiato perché Lisa ha rotto l'astuccio.

Per chiedere... per rispondere

Quando ci vediamo?	Ci vediamo domani alle quattro.
	Alle quattro.
	Ci vediamo lunedì.
Dove ci vediamo?	Ci vediamo a casa mia.
	A scuola.
	Ci vediamo ai giardini.
A che ora ci vediamo?	Ci vediamo alle tre.
	Alle cinque e un quarto.
	Ci vediamo a mezzogiorno.

Nel giardino... sulla sedia... da Simone

(Le preposizioni semplici e articolate)

+	IL	LA	LO	L'	I	LE	GLI
DI	DEL	DELLA	DELLO	DELL'	DEI	DELLE	DEGLI
A	AL	ALLA	ALLO	ALL'	AI	ALLE	AGLI
DA	DAL	DALLA	DALLO	DALL'	DAI	DALLE	DAGLI
IN	NEL	NELLA	NELLO	NELL'	NEI	NELLE	NEGLI
SU	SUL	SULLA	SULLO	SULL'	SUI	SULLE	SUGLI

Per chiedere... per rispondere

Quanto costa?	Due euro e cinquanta.
	Costa dieci euro.
Quanto costano?	Cinque euro e dieci centesimi.
	Costano tre euro e venti.

Aspetta... scendi... senti

(Imperativo affermativo)

		TU	VOI
-are	**Aspettare**	aspetta!	aspettate!
-ere	**Scendere**	scendi!	scendete!
-ire	**Sentire**	senti!	sentite!

Non aspettare... non aspettate...

(Imperativo negativo)

		TU	VOI
-are	**Aspettare**	non aspettare!	non aspettate!
-ere	**Scendere**	non scendere!	non scendete!
-ire	**Sentire**	non sentire!	non sentite!

Io mangerò... io leggerò... io partirò...

(Indicativo futuro semplice)

Saltare	**Leggere**	**Partire**
Io salterò	Io leggerò	Io partirò
Tu salterai	Tu leggerai	Tu partirai
Lui/Lei salterà	Lui/Lei leggerà	Lui/Lei partirà
Noi salteremo	Noi leggeremo	Noi partiremo
Voi salterete	Voi leggerete	Voi partirete
Loro salteranno	Loro leggeranno	Loro partiranno

Per parlare

Domani Paula mangerà a scuola.

In vacanza leggerete il libro.

Partiremo lunedì.

febbraio

lunedì	martedì	mercoledì	giovedì	venerdì	sabato	domenica
	1	2	3	4	5	6
7	8	9	10	11	12	13
14	15	16	17	18	19	20

marzo

lunedì	martedì	mercoledì	giovedì	venerdì	sabato	domenica
	1	2	3	4	5	6
7	8	9	10	11	12	13
14	15	16	17	18	19	20

Io sarò... io avrò...

(Indicativo futuro semplice del verbo ESSERE e del verbo AVERE)

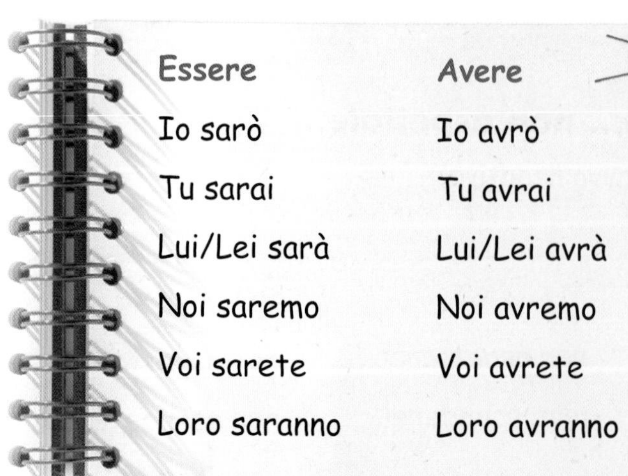

Essere	Avere
Io sarò	Io avrò
Tu sarai	Tu avrai
Lui/Lei sarà	Lui/Lei avrà
Noi saremo	Noi avremo
Voi sarete	Voi avrete
Loro saranno	Loro avranno

Per parlare

Domani sarai a casa di Simone.

Per il mio compleanno avrò tanti amici alla mia festa.

È più alta... è meno alta... è alta come

(il comparativo degli aggettivi)

è più bello	è meno bello	è bello come
è più dolce	è meno dolce	è dolce come
è più piccola	è meno piccola	è piccola come

Per parlare

Il mio disegno è bello come il tuo.

La mela è meno dolce della torta.

Lisa è più piccola di Simone.

Bellissimo... bellissima!

(il superlativo assoluto degli aggettivi)

bello	bellissimo
bella	bellissima
dolce	dolcissimo
dolce	dolcissima
alto	altissimo
alta	altissima

Per parlare

Il castello è bellissimo.

La torre è altissima.

La torta è dolcissima.

Il biscotto è dolcissimo.

Io giocavo... io leggevo... io sentivo...

(Indicativo imperfetto)

Giocare	Leggere	Sentire
Io giocavo	Io leggevo	Io sentivo
Tu giocavi	Tu leggevi	Tu sentivi
Lui/Lei giocava	Lui/Lei leggeva	Lui/Lei sentiva
Noi giocavamo	Noi leggevamo	Noi sentivamo
Voi giocavate	Voi leggevate	Voi sentivate
Loro giocavano	Loro leggevano	Loro sentivano

Per parlare

I bambini giocavano a calcio.

Il nonno leggeva una rivista.

Quando i ragazzi sentivano la campanella, correvano a casa.

Io ero... io avevo

(Indicativo imperfetto del verbo ESSERE e del verbo AVERE)

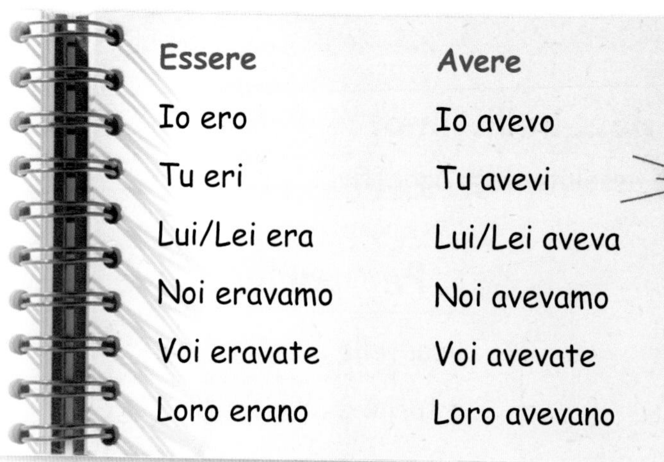

Essere	Avere
Io ero	Io avevo
Tu eri	Tu avevi
Lui/Lei era	Lui/Lei aveva
Noi eravamo	Noi avevamo
Voi eravate	Voi avevate
Loro erano	Loro avevano

Per parlare

Ieri ero molto felice.

Hamid aveva un cappello giallo.

Per chiedere... per rispondere

Sai nuotare?	Sì, so nuotare.
	No, non so nuotare.
Sai sciare?	Sì, so sciare.
	No, non so sciare.
Sai giocare a calcio?	Sì, so giocare a calcio.
	No, non so giocare a calcio.

L'angolo del taglia e incolla

Che cosa fai di solito?

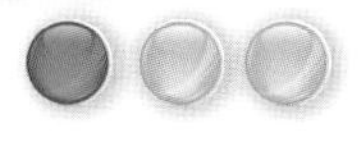

1 Ascolta la canzone "La mia giornata", ritaglia e incolla al posto giusto le immagini. (pagina 10)

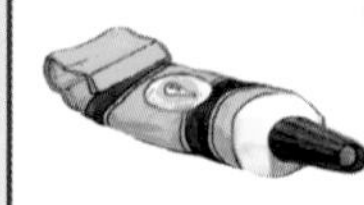

VOCABOLARIO

Ritaglia e incolla le figure. (pagina 19)

Il messaggio misterioso

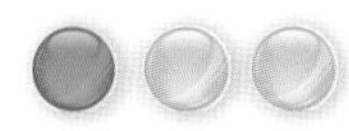

6 Che cosa c'è scritto nel biglietto di Edmond? (pagina 36)

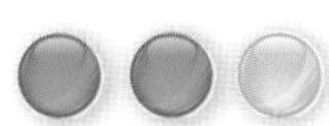

6 Che cosa c'è scritto nei biglietti di Hamid e Simone? (pagina 40)

5 Cosa c'è scritto nel biglietto di Paula? (pagina 42)

A	¬	N	Ш
B	≥	O	÷
C	^	P	↕
D	∩	Q	■
E	%	R	◇
F	#	S	◖
G	⊙	T	+
H	!!	U	×
I	<	V	≤
J	▲	W	ʕ
K	±	X	3
L	~	Y	€
M	>	Z	¥

VOCABOLARIO

Ritaglia le figure e incollale secondo le indicazioni. (pagina 43)

Il mistero continua

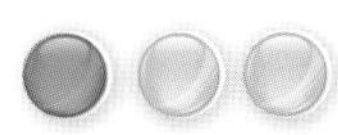

5 Che cosa c'è scritto nel biglietto di Fang Fang? (pagina 46)

A	¬	N	Ш
B	≥	O	÷
C	^	P	↕
D	∩	Q	■
E	%	R	◇
F	#	S	◖
G	⊙	T	+
H	!!	U	×
I	<	V	≤
J	▲	W	ʕ
K	±	X	3
L	~	Y	€
M	>	Z	¥

VOCABOLARIO

Che cosa puoi comprare? Ritaglia e incolla al posto giusto le figure.
(pagina 53)

Intervallo!!! 2

1 Osserva i disegni, ritaglia e incolla al posto giusto le frasi. (pagina 54)

Ci vediamo vicino al semaforo alle quattro.

Ci vediamo davanti al cancello alle dieci.

Ci vediamo alle quattro e un quarto davanti alla cartoleria.

Ci vediamo davanti al cancello a mezzogiorno.

Ci vediamo a scuola alle otto.

Ci vediamo in Via Modena alle tre.

Ci vediamo alle quattro meno un quarto davanti alla cartoleria.

Ci vediamo in Via Milano alle tre.

Ci vediamo ai giardini alle cinque.

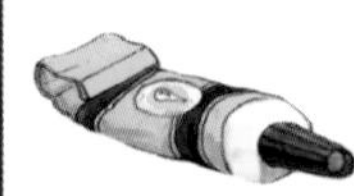

3 Che ore sono? Leggi, ritaglia e incolla al posto giusto le figure.
(pagina 55)

4 Costruisci un segnalibro. (pagina 56)

6 Ritaglia e incolla le monete e le banconote accanto alla cifra, come nell'esempio. (pagine 56 e 57)

8 Usa il codice segreto per scrivere il tuo nome e quello del tuo compagno o della tua compagna. (pagina 57)

A	¬	N	Ш
B	≥	O	÷
C	^	P	↕
D	∩	Q	■
E	%	R	◇
F	#	S	◖
G	⊙	T	+
H	!!	U	×
I	<	V	≤
J	▲	W	ʕ
K	±	X	3
L	~	Y	€
M	>	Z	¥

unità 5

La mia città

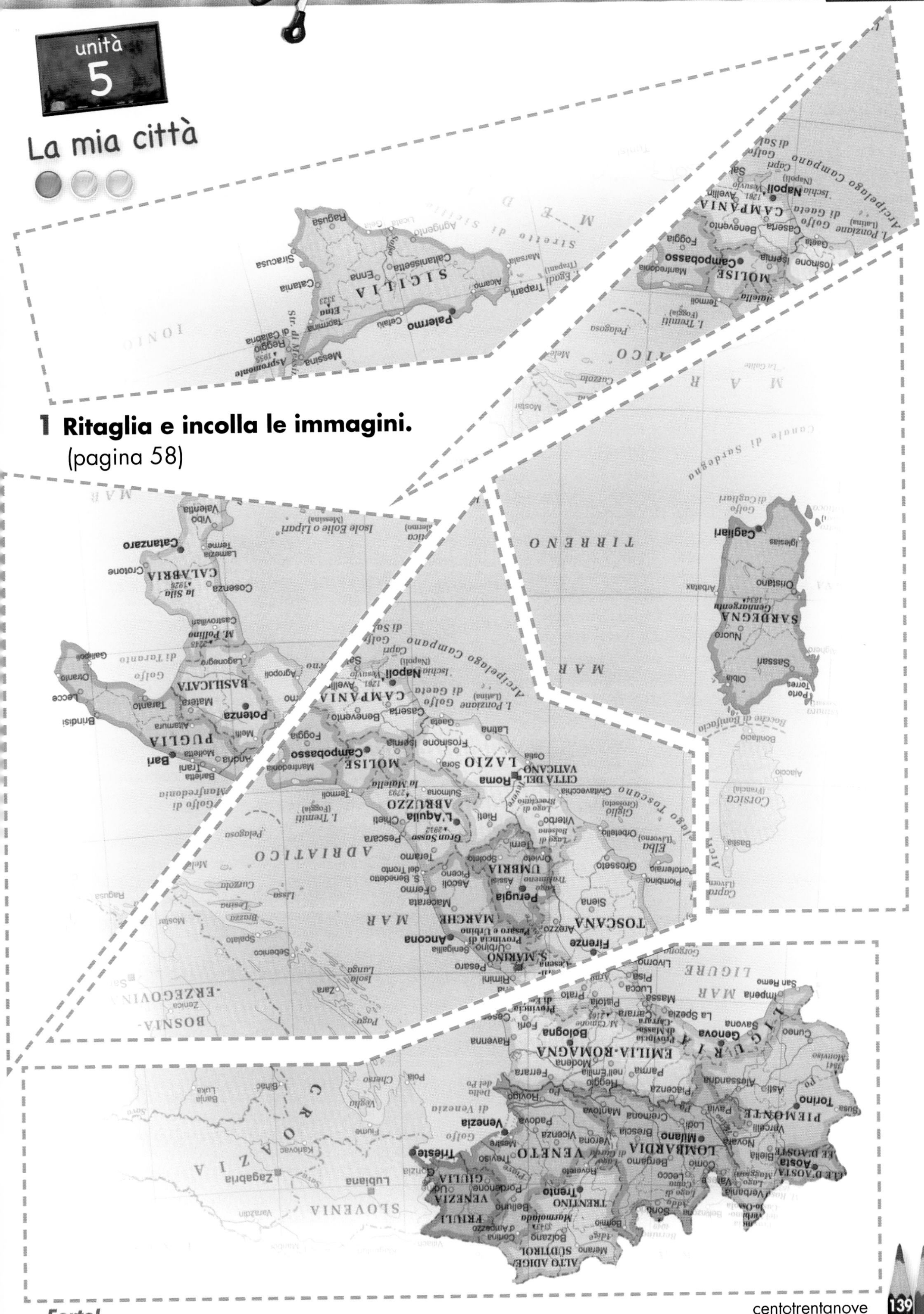

1 Ritaglia e incolla le immagini.
(pagina 58)

L'angolo del taglia e incolla

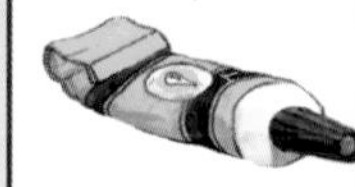

1 Ritaglia le figure. Leggi e incolla le figure al posto giusto. (pagine 61 e 62)

I gianduiotti

Il Museo Egizio

Il Castello Miramare

La Reggia di Venaria

Il Festival della canzone italiana

La Mole Antonelliana

Il Castello di Fénis

I fiori di Sanremo

1 Ritaglia le presentazioni di Fang Fang, Simone, Edmond e Hamid. Leggi e incolla al posto giusto. (pagine 64 e 65)

QUANDO VADO DA MIO ZIO MANGIO SEMPRE I TORTELLINI.

TI PIACE IL MARE? A ME TANTISSIMO. LO SCORSO ANNO SONO ANDATO A TROPEA, IN CALABRIA. IL MARE È BELLISSIMO.

MIO ZIO ABITA A BOLOGNA. BOLOGNA SI TROVA IN EMILIA ROMAGNA. BOLOGNA È FAMOSA PER I SUOI PORTICI E PER LA SUA UNIVERSITÀ, LA PIÙ ANTICA DEL MONDO.

QUESTA CITTÀ È ALBEROBELLO.

MI È PIACIUTA MOLTO LA CITTÀ ANTICA E POI, A TROPEA, CI SONO DELLE CIPOLLE BUONISSIME!

IO SONO STATO A TROVARE MIO ZIO IN PUGLIA. HO VISTO UNA CITTÀ FAMOSA PER LE SUE CASE ANTICHE CHE SI CHIAMANO "TRULLI".

CHE BELLI I TRULLI! IO INVECE SONO STATO DA MIA NONNA A MATERA, IN BASILICATA. ANCHE A MATERA CI SONO DELLE CASE MOLTO ANTICHE CHE SI CHIAMANO "SASSI".

A BOLOGNA CI SONO TANTISSIME TORRI, LA PIÙ FAMOSA È LA TORRE DEGLI ASINELLI.

VOCABOLARIO

2 Ritaglia e incolla al posto giusto le figure. (pagina 67)

La nostra campionessa

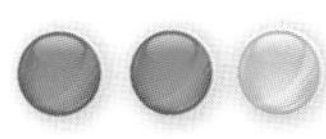

1 Ritaglia e incolla le figure. (pagina 71)

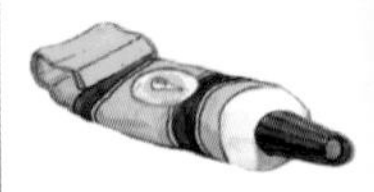

VOCABOLARIO

Ritaglia le figure e incollale in ordine di preferenza (1°= lo sport preferito; 12° = lo sport che piace meno). Scrivi il nome degli sport.
(pagina 77)

Intervallo!!! 3

1 Leggi, ritaglia e incolla al posto giusto le foto. (pagina 78)

Tanti nuovi amici

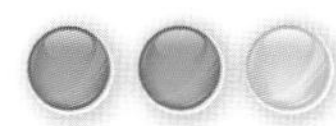

3 Cerca sulla cartina le città di Nat, Dodoo, Berty e Lalla. (pagina 87)

3 Cerca le città dove abitano Pix-El, Crocro e Pesciolino01. (pagina 89)

VOCABOLARIO

Ritaglia le frasi e completa i post di Simone, Paula, Hamid, Fang Fang e Edmond. (pagina 91)

Quando ero piccola giocavo con l'orsetto. Quando sarò grande comprerò un cavallo. Fiorilù

Quando ero piccolo andavo in barca con lo zio. Quando sarò grande abiterò a Roma. Silver

Quando ero piccolo non sapevo andare in bici. Quando avrò vent'anni andrò a studiare a Milano. Winner01

Quando ero piccola giocavo con le bambole. Da grande sarò una campionessa degli 800 metri. Paulita

Quando ero piccolo giocavo con le macchinine.
Da grande farò il pompiere. Pinolino

Indice

*osservazione: termine con il quale indichiamo il contatto con forme e locuzioni, nel quale la riflessione metalinguistica viene rimandata a uno stadio successivo dell'apprendimento.

	Funzioni comunicative	Lessico	Morfosintassi
Unità 4 Il mistero continua pagina 44	Chiedere e dire il prezzo *(Quanto costa/costano?)* Comprendere un semplice testo regolativo	Il denaro *(euro e centesimi di euro)* I negozi *(pescheria, cartoleria, panetteria, fioraio, ...)* I numeri fino a 100	Imperativo negativo Indicativo futuro semplice

	Funzioni comunicative	Lessico	Morfosintassi
Unità 5 La mia città pagina 58	Comprendere e produrre un breve testo descrittivo su un luogo conosciuto Chiedere ed esprimere gusti e preferenze su città, edifici e luoghi naturali *(Qual è la tua città preferita?, Che cosa ti piace di più?)*	Nomi di città italiane *(Torino, Sanremo, Trieste, Bologna, Tropea, Alberobello, Matera)* Nomi di edifici e monumenti *(mura, cattedrale, castello, torre, chiesa, ...)*	Il comparativo degli aggettivi Il superlativo assoluto -osservazione-
Unità 6 La nostra campionessa pagina 68	Parlare dello sport preferito Chiedere e rispondere a domande sull'abilità in fatto di sport *(Sai nuotare/sciare?, Sai giocare a calcio/basket?..., So... / Non so...)* Comprendere un semplice articolo di cronaca	Numeri ordinali *(1°- primo, 2° - secondo, ...)* Azioni relative allo sport *(sciare, nuotare, ...)* Interiezioni *(Evviva!, Forza!, Che bello!)* Sport *(calcio, basket, nuoto, salto in alto, sci, ...)*	Indicativo imperfetto *Sapere* + infinito

	Funzioni comunicative	Lessico	Morfosintassi
Unità 7 Tanti nuovi amici pagina 82	Comprendere e scrivere un breve post Comprendere e raccontare esperienze personali Parlare dei propri progetti futuri	Consolidamento e sviluppo del lessico presentato nelle unità precedenti *(città, luoghi, ambienti naturali, mestieri, cibi, famiglia, ...)*	Indicativo imperfetto dei verbi *essere* e *avere* Indicativo futuro semplice dei verbi *essere* e *avere*

Indice CD audio

Contenuti CD-ROM

CD-ROM *Forte! 3*

VIDEO

KARAOKE

Materiali per bambini

Al circo!
Italiano per bambini
livello elementare

Vocabolario Visuale
livello elementare - preintermedio

Collana Raccontimmagini
Prime letture in italiano
livello elementare

Materiali per adolescenti

Progetto italiano Junior

Corso multimediale di lingua e civiltà italiana

Livelli A1-A2-B1